国家出版基金项目
NATIONAL PUBLICATION FOUNDATION

《三联经典文库》

第二辑

2012年国家出版基金项目

三联经典文库

122

日本大陆政策的真面目

国难资料编辑社　编

生活·讀書·新知 三联书店

图书在版编目(CIP)数据

日本大陆政策的真面目 / 国难资料编辑社编. -- 北京：生活·读书·新知三联书店，2014.1
（三联经典文库第二辑）
ISBN 978-7-108-04759-5

Ⅰ. ①日… Ⅱ. ①国… Ⅲ. ①田中奏折－研究②对华政策－研究－日本－现代 Ⅳ. ①K313.45②D831.31

中国版本图书馆CIP数据核字(2013)第262675号

122 日本大陆政策的真面目

责任编辑	龚黔兰
封扉设计	蔡立国
责任印制	李思佳
出版发行	生活·讀書·新知 三联书店 (北京市东城区美术馆东街22号)
邮　　编	100010
经　　销	新华书店
印　　刷	北京市松源印刷有限公司
版　　次	2014年1月北京第1版　2014年1月北京第1次印刷
开　　本	787毫米×1092毫米　1/32　印张　4.75
字　　数	62千字
定　　价	17.00元

《三联经典文库》出版缘起

适逢生活·读书·新知三联书店八十华诞，为弘扬传统，接续文脉，回报读者，服务社会，我们决定策划出版《三联经典文库》。

1932年7月，生活书店在上海创办，此后，读书出版社和新知书店相继成立。本文库第一辑、第二辑所选图书，来自于这三家出版单位及其分支机构，以及1948年生活·读书·新知三联书店成立后的出版物，始于1932年，截至1951年，两辑各一百种。此为第二辑，涉及政治、经济、社会、军事、思想文化诸领域，涵盖专著、文集、散文、小说、诗歌、传记、报道等体裁，既有直面现实、追求真理、讴歌真善美、抨击假恶丑的原创作品，又有引介世界各国先进文化、传播新知、开启民智的迻译之作，真实记录了那一代知识分子的思考与探索、理想与愿景和对中华民族文化传承与创新所做出的努力与贡献。

本文库所辑入各书，多为名家名作，在版本方面，以初版一印本或经著译编者审定、修订、增订过的版本为首选，因此本文库又具有较为珍贵的版本价值和收藏价值。

本文库还将编选续辑，使之成为恢弘文化工程。诚挚希望读者给予批评和指正，帮助我们完善编选工作，再现三联经典作品之风采。殊为遗憾的是，由于年代久远，一些原著译编者及其后人未能取得联系并奉付稿酬，诚盼版权所有者与我们联系。祈愿三联前辈所创造的精神财富能薪火相传，为中华文化的伟大复兴增光添彩。

《三联经典文库》编辑委员会

2013 年 8 月

凡　例

一、本文库为重排本，由繁体字竖排版改为简体字横排版。

一、以忠实于原作、整旧如旧为编辑原则，对当时使用的专有名词、外文译名，以及民国时期的语言和特色予以保留。

一、原书注释如旧，编者所出的注释，均以“编者注”标明，以示与原书注释的区别。

一、对原书残缺或字迹漫漶之处，以□示代。

一、对繁简文本转换时的“如右”、“见左”一类，对应改为“如上（前）”、“见下（后）”。

一、对原书中各种错讹脱衍之处，直接订正，不再以其他符号标示。

一、对数字、标点符号的用法，在不损害原文语义的情况下，做必要的规范。

一、本文库各书均前插原书书影、原书版权页和文库版“本书出版说明”。

一、本书出版说明的撰写，以客观中立为原则，扼要介绍本书的内容、版本流转、著译编者的情况。

本书出版说明

本书系由国难资料编辑社于1937年编辑的关于日本主要政客针对侵华所构想的战略意图方面的一些资料，主要包括当时日本首相田中义一的“田中‘大陆政策’奏折”以及“日本吞并满蒙之秘密计划”、“日本并吞满蒙之秘密计划”、“日本对华的基础观念”、“广田对华‘三原则’”等，其中既有军事、外交方面的战略内容，亦有政治、社会、经济、商业等方面的针对性材料。这些资料充分证明了日本帝国主义一向觊觎我中华神圣国土与资源物产、并对于发动侵略战争处心积虑、无所不用其极的狼子野心。从中不但可发现并研究日本帝国主义对于侵华乃至侵占整个亚洲的战略思想与战争步骤，亦可从中透视日本侵略者一向对于外族尤其华人的轻侮与蔑视心理。此书对于当时处于抗日前沿、烽火遍地的中华民族而言既是一次深刻的警醒教育，也是一本弥足珍贵的战时资料，即使在今天看来对于我们研究如何在战略层面上加强对日本侵略本性之防范、提升与捍卫国人之民族自尊、自觉、自省能力均有积极作用。

本书由上海生活书店初版于1937年10月，同年11月再版，此次出版，即以此为底本。

生活·读书·新知三联书店

2013年8月

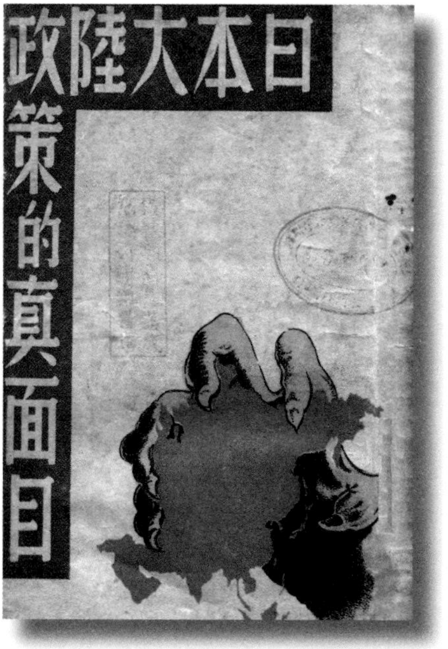

生活书店 1937 年 10 月初版书影

國難資料叢刊之一

日本大陸政策的真面目

每冊實價貳角伍分

編者　國難資料編輯社

總經售　生活書店　上海福州路第三八四號

中華民國二十六年十月初版
中華民國二十六年十一月再版（漢）

原书版权页

目次

序

五年来，“日本大陆政策”的棍子，把全中国打得头破血流，不，简直打得“半身不遂”，日夜陷于痛苦呻吟之中。究竟“日本大陆政策”是什么一回事？或者更详细些说，它的实质怎样？它的计划怎样？它的步骤怎样？……国人知其详者，并不很多。这在“团结御侮”的年头，说起来，总是一件恨事！

我们有鉴于此，特搜集几种重要的文献，从田中的《大陆政策奏折》起，到广田的对华三原则止，名曰《日本大陆政策的真面目》，作为“国难史料丛刊”之一，以贡献于国人之前。我们从侵略者的口供中，看出毒辣的阴谋，使我们震栗，使我们兴奋！这是全国人必读之书，把它放在案头上，真如“暮鼓晨钟，发人深省”！

编者　一九三七年六月

田中“大陆政策”奏折

一　田中首相致宫内大臣一木喜德请代奏明积极政策函

昭和二年（按即民国十六年）七月二十五日

内阁总理大臣田中义一署名

外务大臣田中义一副名

铁道大臣大藏大臣副名

宫内大臣一木喜德

欧战而后，我大日本帝国之政治及经济，皆受莫大不安，推其原因，无不因我对满蒙之特权，及确实之实利，不能发挥所致；因此颇烦陛下圣虑，罪大莫逃。然臣拜受大命之时，特赐对支那及满蒙之行动须坚保我国权利，以谋进展之机会云云。圣旨所在，臣等无不感泣之至。然臣自在野时主张对满蒙积极政策，极力欲使其实现，故为东方拆开新局面，造就我国新大陆，而期颁布昭和新政。计自六月二十七日至七月七日共十一日间，召集满蒙关系之文武百官开东方会议，对于满蒙积极政策已经议定，烦祈执奏。（以下略）

二　奏章

内阁总理大臣田中义一引率群臣诚惶诚恐谨伏奏我帝国对满蒙之积极根本政策之件

所谓满蒙者，乃奉天、吉林、黑龙江及内外蒙古是也。广袤七万四千方里，人口二千八百万人。较我日本帝国国土（朝鲜及台湾除外）大逾三倍，其人口止有我国三分之一。不惟地广人稀，令人羡慕，农矿森林等物之丰，当世亦无其匹敌。我国因欲开拓其富源，以培养帝国恒久之荣华，特设南满洲铁道会社，借日支共存共荣之美名，而投资于其地之铁道、海运、矿山、森林、钢铁、农业、畜产等业，达四亿四千余万元。此诚我国企业中最雄大之组织也。且名虽为半官半民，其实权无不操诸政府。若夫付满铁公司以外交、警察及一般之政权，使其发挥帝国主义，形成特殊会社，无异朝鲜统监之第二，即可知我对满蒙之权利及特益巨且大矣。故历代内阁之施政于满蒙者，无不依明治大帝之遗训，扩展其规模，完成新大陆政策，以保皇祚无穷，国家昌盛。无如欧战以后，外交内治多有变化，东三省当局亦日就觉醒，起而步我后尘，谋建设其产业之隆盛，有得寸进尺之势，进展之迅速，实令人惊异。因而我国势之侵入，遽受莫大影响，惹出数多不利，以致历代内阁对满蒙之交涉皆不能成功。益以华盛顿会议成立《九国条约》，我之满蒙特权及利益，概被限制，不能自由行动，我国之存立，随亦感受动摇。此种难关，如不极力打开，则我国之存立既不能坚固，国力自无由发展矣。矧满蒙之利源悉集于北满地方，我国如无自由进出机会，则满蒙富源，无由取为我有，自无待论；即日俄战争所得之南满利源，亦因《九国条约》而大受限制。因而我国不能源源而进，支那人民反如洪水流入，每年移往东三省，势如万马奔腾，数约百万人左右，甚至威迫我满蒙之既得权，使我国每年剩余之八十万民，无处安身。此为我人口及食料之调节政策计，诚不胜遗憾者也。若再任支那人民流入满蒙，不急设法以制之，迄五年后支那人民，必将加增六百万人以上。斯时也，我对满蒙又增许多困难矣。回忆华盛顿会议《九国条约》成立以后，我对满蒙之进出悉被限制，举国上下，舆论哗然，大正先帝陛下密召山县有朋，及其他重要陆海军等，妥议对于《九国条约》之打开策，当时命臣前往欧美密探欧美重要政治家之意见，佥谓成立《九国条约》，原系美国主动，其附和各国之内意则多赞成我国之势力增大于满蒙，以便保护国际之贸易及投资之利益。此乃臣义一亲自与英、佛、伊等国首领面商，颇可信彼等对我之详意也。独惜我国乘彼等各国之内诺，正欲发展其计划而欲破除华盛顿《九国条约》之时，政友会内阁突然倒坏，致有心无力，不克实现我国之计划。言念及此，颇为痛叹。至臣义一向欧美各国密商发展满蒙之事，归经上海，在上海船埠，被支那人用炸弹暗杀未遂，误伤美国妇人，此乃我皇祖皇宗之神佑，方克义一身不受伤，不啻上天示意于义一，必须献身皇国为极东而开新局面，以兴新皇国而造新大陆。且东三省为东亚政治不完全之地，我日人欲为自保而保他人，必须以铁与血，方能拔除东亚之难局；然欲以铁与血主义而保东三省，则第三国之阿美利加，必受支那以夷制夷之煽动而制我。斯时也，我之对美角逐，势不容辞。更进而言之，以臣义一在上海船埠受支那人爆炸之时，转伤美人性命，而支那便安然无事，则东亚之将来如非以如此作去，我国运必无发展之希望。向之日俄战争，实际即日支之战。将来欲制支那，必以打倒美国势力为先决问题，与日俄战争之意，大同小异。惟欲征服支那，必先征服满蒙，如欲征服世界，必先征服支那。倘支那完全可被我国征服，其他如小中亚细亚及印度南洋等，异服之民族必畏我敬我而降于我。使世界知东亚为我国之东亚，永不敢向我侵犯。此乃明治大帝之遗策，是亦我日本帝国之存立上必要之事也。若夫华盛顿《九国条约》，纯为贸易商战之精神，乃英美富国欲以其富力，征服我日本在支之势力；即军备缩少案亦不外英美等国欲限制我国军力之盛大，使无征服广大支那领土之军备能力，而置支那富源于英美富力吸收之下。无一非英美打倒我日本之策略也。顾以民政党等，徒以华盛顿《九国条约》为前提，盛唱对支贸易主义，而排斥对支权利主义，皆属矫角杀牛之陋策，是亦我日本自杀之政策。盖以贸易主义者，如英国，因有强大之印度及澳洲为之供给食物及原料；亚美利加，因有南美加拿大等可为伊供给食料及原料之便，则其余存之力可一意扩张对支那贸易，以增其国富。无如我国之人口日增，从而食料及原料日减，如徒望贸易之发达，终必被雄大资力之英美所打倒，我必终无所得。最可恐怕者，则支那民日就醒觉，虽内乱正大之时，其支那民尚能劳劳竞争模仿日货以自代，因此，颇阻我国贸易之进展。加之，我国商品专望支那人为顾客，将来支那统一，工业必随之而发达，欧美商品必然竞卖于支那市场，于是我国对支贸易必大受打击。民政党所主张之顺应《九国条约》，以贸易主义向满蒙直进云云者，不啻自杀政策也。考我国之现势及将来，如欲造成昭和新政，必须以积极的对满蒙强取权利为主义，以权利而培养贸易，此不但可制支那工业之发达，亦可避欧势东渐，策之优，计之善，莫过于此。我对满蒙之权利如可真实的到我手，则以满蒙为根据，以贸易之假面具而风靡支那四百余州，再以满蒙之权利为司令塔，而攫取全支那之利源。以支那之富源而作征服印度及南洋各岛以及中小亚细亚及欧罗巴之用。我大和民族之欲步武于亚细亚大陆者，握执满蒙利权，乃其第一大关键也。况最后之胜利者赖食粮，工业之隆盛者赖原料也，国力之充实者赖广大之中土也，我对满蒙之利权，如以积极政策而扩张之，可以解决种种大国之要素者，则勿论矣。而我年年余剩之七十万人口，亦可以同时解决矣。欲具昭和新政，欲致我帝国永久之隆盛者，唯有积极的对满蒙利权主义之一点而已耳。

满蒙非支那领土

兹所谓满蒙者，依历史非支那之领土，亦非支那特殊区域。我矢野博士尽力研究支那历史，无不以满蒙非支那之领土。此事已由帝国大学发表于世界矣。因我矢野博士之研究发表正当，故支那学者无反对我帝国大学之立说也。最不幸者，日俄战争之时，我国宣战布告明认满蒙为支那领土，又华盛顿会议时，《九国条约》亦认满蒙为支那领土，因之外交上不得不认支那为主权，因此二种之失算，致祸我帝国对满蒙之权益。如以支那之过去而论，民国成立虽倡五族共和，对于西藏新疆蒙古满洲等，无不为特殊区域，又特准王公旧制存在，则其满蒙领土权，确在王公之手。我国此后有机会时，必须阐明其满蒙领土之真相于世界当道，待有机会时，以得寸进尺方法而进入内外蒙，以新其大陆。且内外蒙既沿王公旧制，其权明明在王公手中，我如欲进出内外蒙，可以与蒙古王公为对手，则缔结利权，便可有裕绰机会，而可增我国力于内外蒙古也。至对于南北满权，则以二十一条为基础，勇往迈进。另添如下之附带利权，以便保持我既得，可永久实享其利。

一、三十年商租权期限满了后，更可自由更新其期限，并确认商工农等业之土地商租权。

二、日本人欲入东部内外蒙古居住、往来、及各种商工业等，皆可自由行动。及于出入南北满时，支那法律须许其自由，不得不法科税或检查。

三、在奉天、吉林等十九个铁及石炭矿权，以及森林采取权获得之件。

四、南满及东部蒙古之铁道布设并铁道借款优先权。

五、政治、财政、军事顾问及教官佣聘等增聘以及雇聘优先权。

六、朝鲜民取缔之警察驻在权。

七、吉长铁道之管理经营延长九十九年。

八、特产物专卖权及输送欧美贸易之优先权。

九、黑龙江矿产全权。

一〇、吉会长大铁路敷设权。

一一、东清铁路欲向俄国取回时之借款提供特权。

一二、安东营口之港权及运输联络权。

一三、东三省中央银行设立合办权。

一四、牧畜权。

对内外蒙古之积极政策

满蒙既为旧王公所有，我国将来之进出必须以旧王公为对手，方可以扶持其势力。依故福岛关东长官之长女，因献身于皇国起见，以金枝玉叶之质，而为未开民族之图什业图王府之顾问，加之图什业图王之妃，乃肃亲王之侄女，因此关系，图什业图王府与我国颇为接近。我特以意外之利益及保护而罗致之，在内外蒙古各王府等，无不以诚意对我敬我。现在图什业图王府内之我国退伍军人，共有十九人在矣，而向王府收买土地及羊毛特买权，或矿权，均被我先取定其特权矣。此外接派多数退伍军人密入其地，命其常服支那衣服以避奉天政府嫌疑，散在王府管内，实行垦殖牧畜羊毛买收等权。按其他各王府，仍依对图什业图王府方法而进入，到处安置我国退伍军人，以便操纵其旧王公。待我国民移住多数于内外蒙古之时，我土地所有权先用十把一束之贱价而买定之，然后将其可垦为水田者种植食米，以供我食料不足之用；不能垦为水田者则盛设牧场，养殖军马及牛畜，以充我军用及食用余剩之额；制造罐头运贩欧美，其皮毛亦可供我不足之用。待时期一到，则内外蒙古均为我有。因乘其领土权未甚明显之时，且支那政府及赤俄尚未注意及此之候，我国预先密伏势力于其地，如其内外蒙古之土地，多数被我买有之时，斯时也，是蒙古人之蒙古欤？抑或日本人之蒙古欤？使世人无可辩白。我则借国力以扶持我主权而实行我积极政策也。我国对于蒙古之施为，因欲实行如上之政策，按本年起由陆军秘密费项下，抽出一百万元以内，急派官佐四百名，化装为教师或支那人潜入内外蒙古，与各旧王公实行握手，收束其地之牧畜矿山等权，为国家而造成百年大计。

朝鲜移民奖励及保护政策

朝鲜自与我合并以来，虽可一时小康，无如欧战后，美大总统提出民族自决，以动弱小民族，而朝鲜人心亦为所煽，其不稳空气充满吉林八道。乘满洲警察之不完全，彼等不逞鲜民遂以满洲为策源地。又幸满蒙到处皆有丰富利源，以安朝鲜移民，因之日移日众，至今日在东三省之朝鲜民，几至百万有奇。如此之现象，为帝国对满蒙之利权，不求而可自得，真可为国家造成莫大幸福，而帝国对满蒙之国防上经济上，添加无数势力，为鲜民统治上，显出莫大曙光。然朝鲜民移住东三省之众，可为母国民而开拓满蒙处女地，以便母国民进取，且亦可借朝鲜民为阶段，而可与支那民联络一切。一面利用有归化支那国籍之鲜民，盛为收买满蒙水田地，而另由各地之信用合作或银行，或东拓会社，或满铁公司，通融彼等有支那籍之朝鲜民以资金而作我经济侵入之司令塔也，亦可作我食料之增产以救国危，是亦新殖民地开拓之一机会。彼归化之朝鲜人民虽为支那之归化民，不久仍然归复为我国民，与南美加州之归化日本人，悉异其旨也。不过只因一时之便宜而归化为支那民耳。按在满蒙之朝鲜人，如扩张至二百五十万人以上者，待有事之秋，则以朝鲜民为原子而作军事活动，更借取缔为名而援助其行动。加之鲜民中之在满蒙有归化为支那民而亦有未归化者，斯时事到之日，是支那籍之朝鲜民作乱，抑或日本籍之朝鲜民作乱，可以悬羊头卖狗肉之方策而对付之。然我国虽可利用朝鲜人如此之行动，亦不可不备支那政府之利用朝鲜人制我也。如论满蒙系支那之政治区域，是亦我国之政治区域，彼东省政府如敢以利用朝鲜人而制我，则我用兵之机会可以急速矣。最可恐惧者，唯赤俄耳。如支那方面利用赤俄魔手煽动朝鲜民之时，则我国之思想一变，国难立至。故现内阁对此必须以充分警戒以防其未然。加之我国如欲开拓新大陆，对朝鲜民之保护及取缔更须严重一层。故依三矢之条约，许我遍设警察署于北满各地者，以为扩张充备警察力，以便怀柔朝鲜民及援助朝鲜之急进，另以东拓及满铁附随其后，助鲜之经济及金融。他如进入内外蒙之鲜民，其金融可由东拓特别通融，以便借朝鲜民之力，而开拓内外蒙古及把握其商权也。按鲜民之侵入满蒙，为帝国之国防上经济上最有密切关系明矣。此后必须由政府极力助其完成，以期为帝国造成新机会。有如我石井之协定，我帝国在满蒙之特殊地位，既于华盛顿会议时放弃，幸得鲜民移住日多，现几及百万余人，且投资日大，因此我虽放弃《石井协定》之特权，亦可借鲜民移住之新问题，而恢复其特权于满蒙。如有如此之实情，我再恢复其特权，依法理上在国际必无人敢反对我国之行动也。

新大陆开拓与满蒙铁道

交通者乃国防之母，是战胜之保险公司，亦是经济之堡垒也。按支那全国铁道仅七千二三百哩，在满蒙则有三千哩矣，居其全数之四成。按满蒙土地之广，产物之巨，虽有铁道五六千哩亦不足其用。加之我国所扶植之铁道，多在南满，而为富源之北满尚多未及，殊为遗憾耳。加之南满各地，支那民族颇多，其国防上经济上颇不利于我；然我国如欲开拓其富源及坚固其国防者，必须极力建筑北满铁道，依其铁道之开通，可移多数国民于北满，以便掣肘南满之政治及经济，而可强固我国国防以奠定东亚大局。加之南满铁道既成之线路，多以经济为目的，致缺循环线路，颇不利于战时之动员及军需之搬运，此后必须以军事为目的建设满蒙大循环线，而可包围满蒙中心地，以制支那之军事政治经济等发达，亦可防赤俄势力之侵入，此乃我国之新大陆造成上最大必要之关键也。加以现在满蒙之铁道有二大中心点：一曰东清铁道，二曰南满铁道。其支那之自设铁道，依吉林省政府之余裕，不久必能现成一大势力之铁道。且合之奉天及黑龙江之财力而论，其支那铁道之势力，不久必须驾我南满铁道之上，当能现出激烈之竞争。幸其奉天之经济紊乱，我如不供其救济，彼确无力可恢复，我则利用此时期勇往迈进，达我铁道目的而后止。且我如用力煽动之，其奉票降价不知其止，奉天政府必成赤俄财政之第二，确可拭目以待，从此彼必无力可开拓满蒙也。惟有东清之势力颇难打倒，不幸其所成之路线与我南满之路线，同为丁字形，如以丁字形而论，虽为便利，唯军事上之进行颇为不便。倘支那新设之铁道，如欲培养于东清路北，必须与平行为妙，则用起西而向东；以我南满铁道之中心而论，其新设之支那铁道，必须使其由北而向南；如以支那自身之利益而论，亦以由北而向南，确有多大便利，因此与我无甚抵触。幸赤俄势力日衰，既无力可进出满蒙，此后支那之铁道建筑，必须听从我日本之指挥而无疑。岂料奉天政府，迩来首以军事的见地，开通打通路及吉海路，然在支那政府虽不晓经济的而专以军事的建筑打虎山至通辽及吉海路者，在我国则因此二路之完成，其对满蒙之国防及经济颇受多大之打击，而南满铁道之利益亦颇受损，是故向支那提出强硬之反对也。然此二路之被支那所完成者，初因出先官宪及满铁当局等，误算奉天政府乏力可及此，故事前未甚注意，及后欲强阻之，其路线已成矣。加之又有美国人利用英国资本家，欲投资开筑葫芦岛港，因此第恐支那政府受迫，将打通吉海二路线，牵入英国资金，反增长在满蒙之劲敌。故付之似有似无，唯待有机会时，而再向支那政府解决打通吉海二路问题也。据闻奉天政府之计划，欲由打虎山起至通辽更至扶余而至哈尔滨为终点，使在北京出发不由南满及东清二路，由自己之路线而可达北满之哈尔滨。更为最恐人之计划者，由奉天起点经海龙，由海龙而至吉林经五常而至哈尔滨。依如上之计划，用左右二线包围我南满铁道。而我南满铁道受支那此二线之包围，几成为小区域。因之我对满蒙支那政治经济之发展，悉被制限及缩小，与华盛顿《九国条约》实行制我伸张国威于满蒙。按此二路线完成，我南满铁道，几成为无用长物，其南满铁道公司必受多大恐慌。检讨支那今日之财政，如无外债之借入，必然无力可及此，如果自有财政可及此而成此二大铁道者，如吉林经奉天，或扶余开通经通辽而至连山，其运费必比利用南满铁道更贵。如以此点而论，我国虽可安心，万一将来此二大铁道告成，支那政府特以经济为主眼，一如东清路特别减其运费，以与我南满路对抗之时，不惟我国必受莫大之损失，而对东清路，亦一不可忽视之大事也。日俄二国断不能视支那铁道之跋扈，殊如东南铁道之于今日。以齐齐哈尔及哈尔滨为收入大宗，如支那此二大铁道完成，或大赉与安达之路完成，则我南满铁道更受其惨，其东清之苦痛必然巨大而无疑。更将满蒙铁道竞设情形概略而言：

（甲）支那所欲建设者：索伦至洮南铁道，吉林至哈尔滨铁道。

（乙）赤俄所欲建设者：安达至伯都纳铁道，吉林至海林铁道，兴凯湖之密山至穆棱铁道。

以上之计划，无不欲培养东清铁道，而发挥其帝国主义，其新设之方向多以西东故也。盖赤俄虽衰弱，其对蒙进出，仍然不怠其一举一动，无不阻我进出而祸南满铁道。我对赤俄之进出，非尽力防避不可，必须借奉天政府为楔子而阻其势力南下。我第一着手，借防赤俄南下为题，以得寸进尺方法而强进北满地盘，以便攫取其富源，南可制支那势力之北上，北可制赤俄势力南下。如欲与赤俄为政治或经济之角逐者，必须驱支那为前驱，我只可督支那于背后，以防避赤俄势力之伸张，而我方另以秘密方法与赤俄提携，而制支那势力之增长，以免妨害我满铁之既得权。加藤内阁时，我后藤新平唱日俄外交恢复，迎请越飞俄使入国之目的者，大半因欲利用俄力以制支那也。东清铁路与我南满铁道，虽有约束，按满蒙之出产物运送，以五十五分归南，以四十五分归东也。然满铁及中东二路，虽有如此之契约，而各用公然秘密方法而特减其运费，因此我南满颇受莫大危险及损失。

更考察赤俄向我秘密宣言，谓俄罗斯与支那国境，不幸生成弓形，虽不欲侵入之国土，但因弓形以北，地寒物稀，确无敷路之价值，不得不把守东清，分些利益，故东清路断不能放弃。加之俄国在太平洋唯一之港如海参崴者，因有东清路而得存，如东清路放弃，与俄国放弃太平洋同也。赤俄主义如此，益使我国不安。

而我国之于满蒙，如徒赖南满铁路，必不能满足。依我进出之将来及现状计，南北满铁路非全收归我手不可。殊如大富源之北满及东蒙古方面，可为我发展之余地颇多且颇有利；而南满之将来支那汉民族之日增，其政治及经济颇不利于我，故不得不急进北满地盘，以计国家百年之隆盛。如赤俄之东清路横于北满地，对我之欲造成新大陆颇有所阻害，我国之最近将来在北满地方，必须与赤俄冲突，斯时也，我仍以日俄战争，依样葫芦，攫取东清铁路，以代南满铁路，攫及吉林，以代大连。因北满之富源，我国再与赤俄一角逐于南满旷野者，实为国运之发展上势所难免。盖不打破，我对满蒙之暗礁必定难除。在现下之状势，向支那要求各军事重要之铁路，待铁路完成之时，北满可能及之地，我则倾力以进，赤俄必然前来干涉及破坏，斯时也，即我与赤俄冲突之秋而无疑。

我对满蒙铁路急欲实现完成者如下：

通辽热河间铁路

本线延长四百四十七哩，约须建设费五千万元，此铁路如完成，我欲开发内蒙古，可得一大贡献。在满蒙铁道中，以此线最有军事及经济价值。如以内蒙古全体而论，依我陆军省、满铁会社等，派人详细之调查，其数既及十回矣。在内蒙古之地内颇多可耕水田之地，如加以人工的施设，将来至少亦可容我国民二千万之额。而其内蒙古所产之牛有二百万头，我国将来借此铁路之便，可取之为食料及加工输出欧美。他如羊毛为蒙古之特产品，我国之羊每年每头只可取二斤之毛，而蒙古羊之产毛，每头每年可产六斤之额，我南满铁路公司，试验至再，无不尽然。而其毛质比之澳洲种毛，更优良数倍，其价格之贱，生产之多，品质之优良等，可为在世界上暗室中之一大富源。我如可执掌其铁道，极力以扩张之，至少比之今日可增加十倍之产额。如此之富源尚不可被世界知道，以防缺毛国之英美与我竞争，故我必先攫其交通权，然后极力扩张蒙古羊毛，使他国知之而无如我何。按通辽至热河之路如归我手，我国之羊毛，可以自给自足，又可加工毛制品输贩于欧美。且如欲完成与内外蒙古王公握手，非赖此铁路不可，如以我日本手腕欲开拓蒙古，非赖铁路不可，盖我帝国主义对内外蒙古之浮沉，尽在此路线已耳。

洮南至索伦铁路

此铁道延长至百三十六哩，建设费须一千万元。按我国之将来，必须再与赤俄角逐于北满平野，此路如成，我南满之军兵，可用此路线而迫赤俄阵后，亦可阻止赤俄增军于北满之用。即以经济而论，此铁道可压取洮儿河流域之富源，用以培养南满铁路。他如既与我接近之札萨克图王府及图什业图王府等，亦可利用此路以培植我国势力，以便开拓其土地。按我国之欲与内外蒙古王公握手，收买其土地、矿山、牧畜、商业等，以备将来有用之机会，专赖此铁路而侵入内外蒙古，利用通辽热河线，而侵入南蒙古，以便南北相呼应。待其产物发展之时，我则依此一线而远入外蒙，以发展我国运于无穷。然洮索线完成，最有利害者，第恐引诱支那移民多数侵入蒙古，因之必破坏我对蒙古之积极政策，岂不成第二之南满铁路，徒为支那人造福乎？幸其沿线之矿山及土地，皆为蒙古王公所有，我如预先收买其所有权，则欲排斥支那人民之侵入何患无法乎？他如蒙古王公者，我可以强制力，令其发布预防支那人民侵入之法令，使支那人侵入蒙古不能安全生业，自然必能远去。尚有其他方法颇多，我如极力防之，则支那人之迹不能印于蒙古地方矣。

长洮铁路之一部铁道

此由长春至扶余大赉，则长春至洮南间长百三十一哩，建设费约千一百万元。此铁道之计划，为经济上最有大利益之铁道。盖满蒙之富源悉集北满，此铁道如成，我对北满之进出颇为便利。且可打倒东清铁路，而培养南满铁道利益，又有松花江上流，农产物颇多，可耕地颇巨，而大赉附近有月亮泡可兴水电。按将来此长洮路之一部分，必然成为工业农产加工之大区域。待此路线成后，则由大赉而至洮南，由大赉而至安达，由大赉而至齐齐哈尔，分展三叉线路，以攻西比利亚路线，定可攫取北满之富源，亦可作黑龙江进出之第一步。加之长春至洮南，长春经扶余大赉至洮南，共成为小循环线，为军事上最妙之交通。我如欲进出蒙古，则此小循环之铁道不可不速成。而此长线，沿路地广人稀，其土地之沃肥，虽五十年间不下肥料，亦不恐无可收成。此铁路如可执在我手，则北满及蒙古之富源尽为我有矣。其沿线地之可容我国移民者，至少亦可居二三千万民之多。至将来吉林之敦化线与我朝鲜会宁路连络开通之时，其蒙古及北满之富源，可一直运至东京及大阪，待有事之秋，我由东京方面出师，经日本海一路直至北满及蒙古，其支那之陆军必无力可突破北满地方。在日本海之交通，赤俄之潜水艇必无力可以入我朝鲜海峡。盖我日本唯望吉会长大二路速成，则食料及原料便可自给自足，不论与谁战，皆可自由自在。斯时也，我之对满蒙交涉，不论何事，支那政府惧我设备之周至，必然畏我而从我。如欲完成明治大帝第三期灭亡满蒙计划者，唯此吉会长大线之成功而已耳。然长大铁路如成，不惟可以培养南满路日致富足，即长大路本身亦有致富之望。此长大路为满蒙经济发展上最大必要之积极政策也。

吉会铁路

吉林至敦化之间，铁路之建设现既成功。敦化至会宁间之铁路尚未实现。虽会宁至老头沟有二呎六吋之狭轨路线，实不足新大陆及经济发展之用。此建筑费须八百万元，而敦化老头沟之建设费须一千万元，二者共须二千万元巨款。按此铁路如成，就是我新大陆之成。从前欲往欧洲之人，须经大连或浦盐二港，今则由清津港经会宁而入西比利亚铁路，可赴欧洲，不啻东洋之交通大动脉，将来不论人与货，皆须经由我地。斯时也，我把此交通大动脉之权，可以无客气侵略满蒙，实行明治大帝第三期灭亡满蒙之计划也。如斯，即大和民族征服世界矣。按明治大帝之遗策，第一期征服台湾，第二期征服朝鲜等，既皆实现，唯第三期之灭亡满蒙以便征服支那全土，使异服之南洋及亚细亚洲全带，无不畏我服我而仰我鼻息云云之大业，尚未能实现。此真臣等之罪也。按吉林省合奉天及黑龙江一部分，我古历史称之为“肃慎”民族，即今繁殖于沿海洲，黑龙江畔豆满江流域等者是也，其民族之沿革古来称为肃慎、秽狈、把娄、沃沮、夫余、契丹、勃海、女真等，其兴废多种多样，良莠不齐。我国清正公进击会宁及间岛，其爱新觉罗亦起于宁安附近，先平定敦化间岛珲春地方为起源，遂定大清天下三百年之基础，吉林历史如此。按欲造成我新大陆以开极东之新面目者，如不先造势力于吉林地方，必不能征服满蒙，从而不能征服世界。故以吉会路之完成即我昭和新政之成，新大陆之成，即征服亚细亚全洲之成功，不啻为吾国策上最重大之路线，是亦国益产生之重要路线也。

以吉会线及日本海为中心之国策

吉会路之终点，为清津乎？罗津乎？雄基乎？均可由我自由自在，依时制宜而常其变换。以现势之国防而论，以罗津唯一无二之良港为终点，终可为世界贸易良港。一面可粉碎赤俄之浦盐港，一面可集北满之丰富物产，以挽满蒙之繁荣于我国地域。且大连港非我领土，如满蒙尚未为我新大陆之时，其经营上施设上颇多费手，万一最近时期中实现战争之时，我日本须求满蒙之富源当由大连为出口，如敌舰由对马及千岛两海峡封锁之时，我则不能摄取满蒙之富源，终必为战败国。须知欧战后之美国，与英国暗合，每一举一动而欲牵制我国对支之施为，而我国为独立计，不得不与美战，以警示支那及世界。且美有吕宋舰队，与我对马千岛乃一苇水之遥，朝发夕至，如以潜水舰而游弋于我对马及千岛之间，则满蒙之食料及原料必不能供我益我。如吉会路可成，在南满北满与朝鲜成为大循环线路，其长春至洮南，长春到大赉至洮南，成为小循环线路，可以四通八达，利我军旅及食料运输之便。是北满富源之征服亦可确定矣。且其北满之富源，经吉会路越海而运至我敦贺、新潟等港者，敌潜水艇必无有能力侵入我朝鲜及日本海峡，从而战时之交通经济等皆可自由及独立。所谓日本海为中心之国策者此也。夫如是，战时之食料及原料可足，则美国虽有雄大之海军，支那虽有众多之陆军，赤俄虽有众多之军兵，终必无如我何。亦可制朝鲜民在战时抗我制我。故我如必须实行新大陆政策，非急成吉会路不为功。

我国终须再与赤俄角逐于北满平野者，即以吉林为中心也。至欲实行明治大帝第三期遗策之时，则以福冈广岛二地国军由朝鲜而入南满，以制支那军之北上；由名古屋关西地方之国军取敦贺海道而进清津，经吉会路而入北满，另以关东地方之国军由新潟出港直至清津或罗津，仍依吉会路而猛进北满地方，另以北满仙台各地之国军，由清森及函馆二港为出口，而急进浦盐，占领西比利亚铁路，以直至北满哈尔滨而南下，直迫奉天及占领蒙古等地，亦可阻俄军之南下。终与关西军、福冈及广岛军三面会合，分派为两大军，南则把守山海关以防支那军北上，北则把守齐齐哈尔以阻俄军南下，则满蒙之食料及原料等，皆可听我自由取用，可依吉会路而运内地。夫如是，虽战十年，我亦不恐食料及原料之不足之忧也。更将其吉会路完成，与我内地之距离叙述如下：

由清津起点至浦盐一百三十哩，至敦贺四百七十五哩，至门司五百哩，至长崎六百五十哩，至釜山五百哩。

如以北满之富源运至我大阪工业地而论，以敦贺为到着港，与大连比较，所差时间如下：

长春上罗津再至大阪陆路四百六哩，海上

四百七十五哩，共费时间五十一小时。长春经大连至神户入大阪者，陆路五百三十五哩，海路八百七十哩，共费九十二小时。

长春经大连由神户至大阪，比之由吉会路经敦贺至大阪，多费四十一时。于此足见吉会路在军事上，经济上之大有价值矣。

依以上计算法，铁道每时间三十哩，海上一时间十二哩计算，如用快船走及快车者可折其半也。夫满蒙者为极东之比利时，欧洲大战德国蹂躏比利时以成功，未来之日俄、日美战争，我国非蹂躏满蒙，必不为功。且我国欲实行新大陆计，不得不破坏满洲之中立地为战场，是故不得不整备吉会长大二路，以作武装之充实，增强国防之势力，进而可以依吉会交通之便，可于最短时间，移民千万于彼地，以开拓其水田，而充我人口及食粮问题之用，亦可防避支那移民之侵入。夫吉会路者，真可为日本致富之路线，是亦日本武装之路线也。

吉会路工事之天然及其附带利权

欲完成吉会之工事者，必须乘其减水期一气而成方可。且因欲节约其工事费，其山皆为花岗石，必须用新式之凿岩机以求速成，其四十分之一均配隧道。至建设上应用之木材，在该沿路皆有，其他如砂利石等沿路皆有产生。而蛟河附近产石炭，且有砖块原料土，可用附近自制砖块，以供建设之用。然欲完成吉会路者，我只运往洋灰及铁轨车头客货车而外，其余皆可在当地取用，真可为天然之铁道工事也。依四围之状势，皆可依预算额七折，便可完成吉会路全段。而工事期日亦可依预算日六折之期间便可以完全成功。更将其沿线之利权而言，乃吉会路如成，皆可自然附随为我国之权益者。如吉林至会宁间，在敦化方面之木材产额，依我参谋部与南满铁路之调查，确有二亿万吨之巨，即每年按伐采百万吨由吉会路输入我国，则二百年之间继续伐之亦不能尽。此雄大之森林，足可教我日本二百年间不受木材饥馑之危，亦可驱逐美国产松材输入我国也。我国现时每年消用美国木材，约需八千万元至亿二千万元，在该吉林有如此之森林，我国虽详细调查至再，皆不敢公表世界，因恐美国每年供我如此多额之木材，如被赤俄或支那知我利用吉会路线，欲开伐吉林间岛间之大材库之时，必然煽动美国，出而干涉我吉会路之成，亦恐美国木材家以重金买奉天政府，先买定其吉林采林权，以保其美国木材对我输出之保护策，亦可制东亚木材之权能，不啻制我制纸界之死命。故我国虽得其调查之真相，不敢出表于世界矣。按吉林之森林，前清乾隆全盛时代，即号为“树海”，然至今日数百年未入斧伐，足见其森林之巨大也。按以现时如经由长春大连至大阪之森林木材，共远有一千三百八十五哩之遥，每一立方尺，自吉林至大阪需费运价三角四分。因运费之巨且产额不能多，故不能与美国木材竞争。如吉会路完成，则吉林木材至大阪只七百余哩，每一立方木材只需运费一角三分而已。如此之便宜，必可打倒美国木材而无疑。且吉林之森林，如以最少为二亿万吨而计算，每吨得利益五元而论，则吉会路之成立，我国可不劳而得十亿万元之森林利权，且可防美国木材入国。而我国民得此贱价之吉林良木材，加工为器具及艺术工业品或化学制纸之用，至少每年亦可增长国际利益二千万元之多也。另有新邱大炭矿，其埋藏量有十四亿吨之多，其质驾抚顺炭之上，而十层多为硬石质所成，颇便于开采，且颇合骸炭抽收之用，我可以取之为抽取煤油、农肥、化学各用药以供我用，且可扩贩于支那全国。是吉会路之成，则此新邱大炭矿，我不劳而可得之利权至多。起与抚顺炭矿相呼应，且借此大炭矿之势力，而征服全支那之工业决非难事。单以新邱大炭矿而论，如由吉会路取其良煤炭于日本，每吨至少亦有五元之利益。如用之于化学工业，抽收其副产者，每吨至少亦有十六元之利益。盖新邱炭质颇合骸炭抽附产之用，按每吨平均如以十五元为利益计，共可得二百亿万元之利权。此莫不因吉会路而附带获得之利权也。其他如牡丹江流域之大金矿以及其附近之森林，亦可依吉会路之交通而开拓之也。

他如敦化地方之工业，如大小麦、粟、高粱等物每年可产二百余万斤。酒酿场大小共有二十余处，皆须仰我鼻息。而我商品之进出北满，亦依吉会线之完成而可急速突进也。其敦化地方制油业有三十余所，每年产油九十万斤，豆饼可产出六十万枚，单以此数种之生物运费之收入，便可于偿吉会路之经费而外，每年获得二十余万元纯利。如合之木材、新邱煤炭及副产物等而论，则吉会路之收入每年至少当在八百万元以上。此外，尚有无形之大利益，即培养南满铁道，取得森林、矿产、商业等权，又可大宗移民于北满等是也。且可缩近我日本与北满大富源之距离：按清津至会宁只三时间，会宁至上三峰只三时间，豆满江岸至龙井村只三时间，即朝发日本岸，夕可至间岛中心地点，所谓六十余时间，可能将北满富源突破者，则吉会路之权能也。

珲春至海林铁道

长百七十三哩，建设费二千四百万元。此铁道沿线，左右皆是密林。为欲培养吉会路势力，及开采北满之树林及农矿计，此线路亦必要之一也。且欲挽浦盐斯德港之繁华而就我朝鲜之会宁者，亦不得不急建此路线以抗之。最可卜将来之利害者，则海林以南，敦化以北所在之镜泊湖。待吉会及珲海二路成后，则利用其湖水为水电之发生以便控制满蒙全土之农工动力，使支那之活动竟不得如我电气化之工业何。依南满铁道之调查，该镜泊湖水之落差，至少亦可发生水电八十万马力。以此强大之电力欲征服满铁之工业，可绰绰有余裕，料其发电所之附近，终必大发展。我国因欲开拓北满之大富源，必欲极力以进。如非修筑珲春海林铁道为吉会路培养，终必不足其富源运输之用也，尚有支、俄共领之兴凯湖，亦可发生巨大电力，第恐支、俄二国合办以制我，我必须于本年国际工业电气大会开于西京之时，乘支、俄不觉之间，提出同在一供电区域不能设立二个发电所问题，以求国际承诺，以期制止支、俄合办兴凯湖之电力制我也。尚有伍子制纸公司，在宁古塔及海林驿附近，既得有木材之伐采权，是亦须镜泊湖水电之连成及珲海路之急成，方可保其制纸之大成功，以供我国内之制纸原料，亦可以制纸征服支那全国也。且奉天政府所计划之吉林五常间铁道，吉林奉天间铁道无不欲挽北满富源，经葫芦岛或天津为出港者，我则以珲海路培养吉会之便，可打倒支那之计划，挽其北满富源于我朝鲜之清津港。我依珲海及吉会路而运搬北满产物者，其运费比支那线可减轻三分之二，比西比利亚线可减轻三分之一。按此路如成，支那及赤俄之铁道，皆不能与竞争，其战胜之荣冠属我，可拭目以待。

对满蒙贸易主义

满蒙之贸易额，每年可有七八亿万元之多，均归我国掌执。而我取其富源如羊毛、棉花、豆饼、铁等物之金额，居世界贸易之第二十位。此等富源此后必日进而无疑。然我对满蒙贸易之盛况如此，为何大连浪速町之家屋，暂归支那人之所有乎？且为满洲工业之基本者，如制油业，营口三十八轩间，而我国人尚无一轩，安东二十轩之制油业，我国人只一轩，大连八十二三轩之间，我国人只七轩，以全数而比例之，我只占百分之零点六，大多数皆执在支那人之手，是我之于满蒙进出上颇为可悲也。今欲挽回其利权，必须利用交通势力为堡垒，然后以成品贩卖之贸易权，原料买入之采买权等以干涉之，方可收其大权于我手，另用金融机关以助我国民之油业，以期打倒支那工业油。至贸易之关系，如支那人多数在我大阪川口町，收买大阪制品而扩卖于满蒙，与我在满蒙之商人大开商战，乃我国人因生活费之高，往往非厚利不能营生，从而贩卖竟大败于支那商人之手。按奉天方面之支那商人，多在大阪收买高价劣货，且输送上又无贤能人物，为之集货成数，我国于售价上至少须加一成，而东三省人所付我国船运及铁路费，比之我国人每吨须加费二元七角，采入如此之贵，尚可在满蒙以贱价而打倒我商人，于此足证我国商人之无能为也。再则，支那政府对于贸易商，皆不知保护，反之，我政府对在满蒙之商人则极力保护，而以低利长期资金借与我国商人，乃我商尚七颠八倒，此亦满蒙贸易上最可慨叹之事。今后拟尽力扩张“共同合作关系”，由各汽船公司及南满洲公司，付与特别廉价之运费，再由关东厅及满铁，通融其低利资金，以期战胜支那商人，而可恢复我贸易权，进而可使满蒙特产品普遍世界也。

盖执管满蒙特产品之贩卖权，即监理满蒙财政及贸易之第一步。然如欲名实相符者，我必须先取其满蒙特产品之专卖权，以便培养我新大陆完成之政策。且亦可防避金洋国之亚美利加资本侵入满蒙之机会，而支那商人之活动，亦可利用特产品专卖之势力以阻之也。

以大连为中心建设大船会社，以执东亚海运交通水陆相应称霸于太平洋

满蒙特产物之吞吐港虽有大连、安东、营口，而其中心点无不居在大连。其每年出入之船只有七千二百只，其吨数有一千百十六万五千吨，占满蒙贸易有七成

之多；其定期线有十五航路，多为近海。按满蒙海陆之交通无不掌执在我手，而其特产品之专卖权终必可归我掌执，斯时也，我则以海陆交通之便，又加特产品采入及贩卖之盛，更尽力于海运事业之发达，以谋打倒安东及营口二港之势力。至中南支那各地应消费之豆数甚多，皆可由我国一手而供彼。按支那民为世界油食国民，倘有事之秋，我如禁止豆类不供给于中南支那，支那全国民之生活必受威迫。豆饼一物为产米之农肥，为日支两国之食料耕作上，最重要之产物，其豆饼之采卖权及运输权如可掌执于我手，我则可以贱价之豆饼，以救我国内产米之用。更可把此附随抚顺及新邱之煤炭抽收之农肥，以征服支那全国之农业。如有事之秋，我则禁输豆饼及煤炭抽收之农肥与支那，则支那之食料及原料必定恐慌而动摇。此为新大陆之建造上不可缺欠之手段也。他如欧美所销之大豆饼亦多，我有专卖权及海陆之运输以扩之，其世界各国如欲利用满蒙之特产，无不须仰我鼻息。此为欲统一满蒙贸易计，不得不如此之施为。盖欲掌管满蒙之贸易，必须有海陆整然之交通，方可以制支那商人，须知支那人悉暂步我后而与我竞争，而支那人所兴之帆船贸易及油房等之事业，我国人则无力可打倒之，颇以为憾。此后我水陆交通之整备，即以大资本打倒支那帆船贸易，一面奖励我国人仍步支那人之后，设立帆船贸易及油房，以补我不足。加之，我国对满蒙之开拓，自古以来悉在满蒙设立工厂，利用满蒙原料而加工，因此支那民悉窥采我国工厂内容及学我新式之加工法，终而独立，仍如我设立工厂与我竞争者到处皆是。此乃我在满蒙企工业家，不注意秘密及预防之罪。故此后如欲利用满蒙之原料而加工制品者，悉宜直接运回本国精制，然后方可分输于支那及各国：一可救我国内之失业者，二可杜绝支那民如洪水流入满蒙地带，三可使支那民不能学我新式工术。而如本溪及鞍山之铁及抚顺炭等亦宜运回本国加工。夫如是，则海运之扩张，益显其大必要。故拟扩张大连船公司，由政府通令南满铁助其低利资金，于明年中先完成五万吨之造船，以充远洋航路，而可执东亚交通大动脉。况陆路之有南满铁公司，又有我政治范围之满蒙巨大特产物可运搬，依经济上之原则，堪信大连之海运扩张，必可期大成功也。

金本位实行

满蒙虽为我国之范围，其货币皆以银为本位，与我国之金本位往往抵触甚利害。我国民之于满蒙不能极度发达者，皆被银本位所累也。然支那政府坚执圆银为本位，使我金本位受害如下，是故不能确立我殖民地经济之基础，不能期待新大陆之完成。

一、我在满蒙所投下之资金，皆由本国之金本位金票带去，至满蒙欲投下之时，不论生活用或工场建筑材料之买入或给发工金等，皆须换支那大洋票以用之。如银高时带往投资，而银价下落之时，则所投下之资本金必因银价下落而损失，常有十元金票不出五日而损失至八元之额，不啻为投机的事业。加之，初带十万元金票在满蒙投资之人，因事业扩张之关系，更向银行借款十万元，共二十万元金票资本投下满蒙，不幸事业基础将成之时，忽然银价下落，二十万元金票之资金忽变为十五六万元实额。因此放资之银行恐惧而催讨，以致事业半途而失败者到处皆是。

二、支那商人以银本位为商贾之计算，不论银价如何起落，彼皆不受影响，是故其帆船之贸易颇为发展。

支那人之金价与银价之计算，虽非专门智识，然战无不胜利，此乃支那人独特之天才。我国民益受银本位之苦，虽有水陆交通执掌之权如我国，及有金融业者之后援如我国商人者，无不为银本位之机关所累，故中南支那所消用之豆及豆饼等，皆为支那帆船贸易所操纵，不许我国人步入其范围之内，从而不能征服支那全国。

三、如以银大洋为本位，支那政府可以扩发纸币，而反阻我国金票之进展，而我在满蒙之银行不能为国家助成其使命。

四、满蒙如可完成施行金本位，我国金票可以自由扩张，借我金票之信用，而广采各地特产，使支那银票不能高其信用，自然无力可与我经济竞争，则全满蒙金融自不求而落我国之手。

五、东三省官银号、交通银行、殖边银行、广信公司等发行之银本位纸币共有三千八百万元之多，其准备金皆以家屋或什器等估价为百三十五万元，以作三千八百余万元之纸币发行准备金，足见支那纸币皆不能信用，因其奉天政府极力强制维持金融市面，故得通用至今日。盖支那银行之纸币信用如不打倒，则我国金票之于满蒙永无发展之日，我欲垄断满蒙金融更为辽远，而东三省政府则借其政治势力，常常增发无价值之不换纸币，在满蒙各地买占满蒙特产如大豆、豆饼、小麦、粟等，以威胁我国既得利益。而彼东三省所用不换纸币，买占特产品，卖时皆换我国之金本位票以秘行，而欲搅乱我在满蒙之金融，甚至于欲破坏我在满蒙特产之交易权，因此我国之金票益无发展之日，满蒙金本位之实行益不能期待。

依以上种种之关系，必须打倒其不换银票之假面具，使其政府无实力可买占满蒙特产之时，其实权当然属我，我则借此以扩张金票为本位，以期垄断满蒙经济及财政，进而迫东三省当局聘请我国人为财政顾问，俾可操纵其金融及财政，打破彼奉票不确实之力而用我金票为本位以代之。

第三国投资于满蒙之欢迎

我满蒙之地盘不许第三国之投资者，此乃累代内阁之政策，无如华盛顿之《九国条约》系机会均等主义，故昔日国际财团成立之时，许我满蒙除外，然似乎与

《九国条约》有些抵触。从之国际间益为张目疑我，使我每欲勇进于满蒙而受世界之疑视，不如借机会均等问题，将必需大资本方可施为之民生事业，如水电动力，或曹达工业等欢迎外国投资，以期借欧美雄大之资本而为我满蒙发展之培养，一面可借此而拔除国际之疑视，我方可以无远虑向新大陆造成一路直进，亦可以此诱引国际承认满蒙为我特权地之事实。凡此后不论何国如欲投资于满蒙者，我必须进而欢迎，切不可徒任支那政府与债权国自由行动，因欲使国际共认满蒙地带之政治及经济之实力皆在我手，故我国不得不干涉而自请分负其责也。此为外交惯例之造成，颇为重要之政策。

南满铁道公司必须变更其经营

满蒙铁道公司者乃如昔朝鲜统监之代用物，我国之欲新大陆造成，对南满洲铁道经营必须变更，以便突破今日之难局。盖南满铁道公司之使命多且大，故历代内阁无不与政治变迁而同其进退，因此内阁之变迁往往祸及满蒙，且南满铁道之一举一动往往而累及内阁，皆因南满铁道之组织虽为半官半民，其实权皆操诸内阁之手。是故每欲发展于满蒙之时，国际间每不以南满铁道公司为一经济公司，而竟看作政治的纯然机关。故以华盛顿《九国条约》之利权而欲制我南满铁道公司之进行，因此颇损帝国前进之利益。更就自国之内性而论，我南满铁道之事业进行在满蒙有关东司令官、大连长官、总领事，盖为四头政治，必须在大连先互相交换其意见，往往事竟不能机密而被东三省为政者所知，从而极力防避我南满铁道公司之进步。至于问题欲于东京最终解决之时，往往因外交、铁道、大藏、陆军等大臣之意见差违，致阻其计划进行。故现内阁首班兼摄外务大臣之重责者，虽不能胜任，因欲进出满蒙计，不得不兼外务大臣，以保其政策之秘密及圆滑而期对满蒙政策之速成。积此种种之不便，故拟将南满铁道公司根本变更，从南满铁道公司之附带事业中，择其力多益大之事业悉数提出为独立公司，暗附南满铁道公司之势力而急进满蒙。一面将南满铁道全部另招支那人及欧美人投资，完全行使铁道事，而资本额我国可执掌一半以上，以便措执其实权为帝国使命而猛进。总而言之，借国际资本家之投资于南满铁道公司，以期混瞒世界之耳目，而我乃可任意猛进满蒙，以防《九国条约》制我，亦可利用外资以便培养我国进出满蒙也。至于满铁公司所建重要之附带事业如下：

钢铁问题

制钢事业之盛衰，关系国家之强弱颇大，现各国对此莫不视为重要问题。我国对钢铁问题尚未能解决者，因缺乏原矿所致。从来我国由扬子江流域及南洋马来半岛输入，以给自国之用，岂料满铁地方散在之铁矿，依参谋部之实地密查，知有非常巨额之铁在焉，其总推定量至少亦有十二亿万吨。而南满铁道所经营之鞍山制铁所，初因技术未甚熟练，故每年损失均及三百万元左右，后乃雇聘德国技师而研究之，得发现新技术及制钢经费节约方法，故于昭和元年度只损失十五万元，至昭和二年至少亦可得利九十万元之谱，如改良其新式之制钢炉，每年至少亦有四百万元左右之利益，如本溪湖铁矿，其成分颇佳，将来如得机会，即可使之与满铁之鞍山合并，以救我国钢铁之自给自足。

按满蒙之铁有十二亿万吨，幸煤炭亦有二十五亿万吨（此则抚顺、本溪、新邱等大煤矿及我势力范围内之煤矿统计额），此二十五亿万吨之煤足可精炼十二亿万吨钢铁之用，如是，我更得有如此大量之铁及煤，则我国七十年间之钢铁可以自给自足而可免仰鼻息于他国。更将利益而计算之，按钢一吨至少亦可得利益百元。此三亿五千万吨之钢铁产生，我国可得利益金三百五十亿万元，为国家经济上而论，岂可谓不大乎？且可防遏他国输入我国之钢铁每年一亿二千万元之多，即产业立国之第一步。且我国之势力范围地内如可产钢铁以自给自足者，则我日本欲为世界第一之要素成矣，终必能统一满蒙产铁而避支那阻害我国钢铁之自给自足也。

煤油问题

煤油一物亦我国最欠缺之要品，是亦立国上最重要之要素。幸我所有抚顺炭矿之层岩，含有油岩之量共有五十二亿吨，此油层岩每百斤可抽煤油六斤，如再加用美国之精制机以制之，每百斤可得九斤之精油以供自动车及舰船燃料之用。现时我日本每年由外国输入之矿油约七十万吨，估价六千万元，尚且年年增加，按抚顺油层岩五十亿万吨之额，如以百分之五最少而论，亦可得煤油二亿五千万吨，如以百分之九得油而论，可得四亿五千万吨，按平均以三万五千万吨得油，每吨利益十五元而论，此抚顺之油层岩可得五十二亿五千万元之利源，真可谓我工业界之大革命，而有益我国之国防上、产业上极为重大。按满蒙之铁及煤油既可为我所有，则我国之海军陆军等，一进而为金城铁壁。故满蒙者乃我日本之心脏云云诚不虚言也。为皇基绵绵计，真可庆贺之至。

硫安农肥及其他问题

农肥者国家食料政策上最重要之问题。如化学农肥者皆以煤炭所抽收之硫安为原料，而抚顺煤炭最合硫安抽收。如我国每年应销之硫安五十万吨之中，由我国内设立工厂，取开滦或抚顺煤炭为原料而自制者，只有二十五万吨之产出，余不足二十五万吨之硫安皆由外国输入，每年流出国币额及三千五百万余元。按我国农产日盛一日，又有满蒙之新大陆耕地，尚待我国人之资力及手腕以发展，卜此十年内我国应销之硫安至少亦须一百万吨以上。满蒙之铁我欲取之而炼钢。须以抚顺煤炭为燃料，故将应弃之烟收起而抽收硫安，不啻一举数得之事业。按每年如产硫安三十万吨，我则可得利益四千余万元，如以五十年平均而计，此项利权可值二十亿万元之巨，又可为我国农业发达之助。且如有余利者亦可随带豆饼而征服全支那及南洋各地之农业，故此项事业必须独立经营，与南满铁路完全分离，以便操纵东亚农肥也。

曹达与曹达灰之事业

我国每年输入曹达灰之数量既达十万吨，其价格亦有千万元以上。盖曹达及曹达灰，乃军用上工业化学上之重宝。其曹达之原料，皆食盐及煤炭而已。至盐与煤二物，为满蒙至多且贱价之产物，我如设厂自制，不但可防遏外货之侵入，又有余裕可以扩卖支那，以期垄断其工业之要品。此项事业如每年按最少以一千五百万元生利，以五十年而计算之，可得之利权有七亿五千万元之多，又可使我军用化学工厂原料得以自给自足。此项事业亦必须独立，与南满铁道分离。

镁及铝事业

镁及铝事业，依南满铁道及东北大学本多博士之调查，而发现其为非常有望之事业。镁出于大石桥附近，铝出于烟台附近，现查其埋藏量为世界有数之矿。按镁一吨价值二千余元，铝每吨价值一千八百余元，其满蒙所埋藏之额，概算有七亿五千万元之价值。此镁及铝，为飞行机、军用饭盒、医疗器及其他工业上最重要之原料。世界惟美国产有少许，我国每年只可产区区一吨余而已。现世界中对此铝类之销用日多一日，故每有不足之憾，其卖价日高一日，似乎不知其底止。我满蒙地内产此有数矿物，不啻上天欲惠我日本之幸福。按此珍贵之产物，为国防上、工业上不可缺乏之原料，故欲分离满洲铁道，而为独立事业，其制造工程，在欲运回原料矿，至我内地精造，以避奉天政府注目。亦可暗藏其高贵品，而免招摇英美资本家之虎视眈眈。待我与东三省政府交涉有确实之实权后，即在鸭绿江流域，设立水电事业，以充精炼此等铝矿之用。且卜将来飞行机之发达，世界应用之飞机材料，必须仰我鼻息而无疑。

依以上之事业如使之独立，则可以勇往直进，而我可获得之利益概算有六百亿万元之多。按南满之产业可助我国防及经济者实多且巨也。南满产业可为我国贡献如此，我国亦即可因之而达产业立国之根本矣。除以上事业而外，如文化设施等之事业，如病院学校或慈善团体等之事业，乃我国满蒙进出之司令塔，是亦我国威显扬之机关。更进而言之，则利权取得之饵，故亦须与南满铁道分离独立，以便重整而勇进北满地方，以便谋取北满之大富源。

依以上重要有形事业抽出独立，以便单独行动，而不受关系各监督官厅之干涉，终必合流为帝国利益之一路。且可借经济会社以突进，而免受国际外交疑视，亦可缓和东三省人民之排日。如用公然秘密方法造成新大陆，则颇觉身轻而又得充分活动。

至南满铁道公司之欲招募外国资本者，只限现成之铁道而已耳。他如变态经营之路线，如借款与支那所成之铁道者，或合并现在我既设线，或另抽出独立，均无不可，到时再查投资国之希望而定之。我则借此南满铁道公司为国际利益均沾为题，而欢迎他国投资者，不啻外债借人之变态行动，且欲防避国际之疑我急进北满也。且终局如欲招募外资，以助我新大陆造成，则因南满铁道既开放为国际利益，故欧美资本家必然喜而借我，而支那政府亦必无力可向国际破坏我国外债借入机会。按南满铁道变更其组织，欢迎国际投资者，为我国之满蒙进出最好办法，故不得不急速实行。至于满蒙之富源，皆集在北满及蒙古，而我新得之吉会长大二路权及吉林之森林矿山等权必须另定机关活动。盖北满之进出颇可培养南满铁道之利益，倘南满铁道公司如开放欢迎国际投资，我国如进出北满，因南满铁道受利益，即国际受利益，是亦世界之受利益。从而国际之间，必然不欲干涉我国向北满蒙突进。盖南满之支那移民日多，支那之财政及国防因之日固，且商租权尚未确实，使我国移民无插足之地，果有外交为之后援，则我移民即可得插足之地矣。因我国民之生活程度过高不能与山东移民敌对，故此后之南满进出，皆须以资本主义为前锋，方可压倒支那，因此益须利用外国资本，方能为我新大陆之发展。须知北满地方为满蒙富源之宝库，且为支那移民亦不能及之地带，故我国必须乘此时机而突进，盛为奖励移民及急取其利权，以便制支那移民之先机。按我满蒙新大陆如欲造成，必须有强大之移民于彼地，且有敏捷之交通以附之，方可拓取其富源，亦可为我移民之后援。无如赤俄与支那之军备日进一日，且地理上之关系，与我利害悉皆抵触，我如欲实行摄取北满之大富源，培养我国繁盛，进而造成新大陆以完成明治大帝之遗策，必须先移民于北满，以便销塞俄支之亲密联络，而取其富源，亦可制赤俄之虎视而挟支那之制我也。如一旦有事之秋，我北满移民进而可迫南满，与南满之军兵移民互相呼应，而定满蒙大业。万一如须坚守满蒙之时，我则以我北满之移民而取北满之富源，以供我满蒙军及内地食料之原料之用也。盖北满地方与我利害关系如此，我此后之对满蒙，唯向北满一路直进，而努力我既定之积极政策而后已。且南满地方须用资本主义，则借外资以助我之进行，亦可以缓和各国对我北满猛进之疑视。法之妙，策之优者，莫如南满铁路之组织变更，欢迎外国资金之投下也。

拓殖省设立之必要

我对南满之经营，多样多歧，往往主管官厅意见不能一致，从之异论百出，虽为国家有益有利之事，亦不能捷速以进，从之而破我对满蒙秘密，进而被奉天政府拾之为宣传材料于国际，以为中伤我国之用，颇为帝国之大不利益。凡在满蒙欲进行一事，必须于大连经过数十次之调查及会议，得满蒙四头政府之同意，方得见诸实行，且须得内阁之议决方可生其效力，因有如此种种之难关，往往欲施一事，须经年累月方可得其面目。而在施设欲定之期间，因奉天政府在大连方面收买我国浪人颇多，专以盗探我国对满蒙施政为目的，故往往事尚未实行之前，已被支那所知，随入世界之耳，而以各国之舆论制我。我国对满蒙之施设上，受如此之苦者，一而再再而三矣。又如反对党每在满蒙方面所查知之事，往往提出中央，而作反对材料，如上之行动，为我国外交上最不利益之现象，故我国之对满蒙，此后必须变更其主义以期勇往迈进。是故其施为之中心点必须集中于东京：第一，可以保守其秘密；第二，可杜绝支那政府采探我国之进行；第三，可避事前被各国疑视；第四，可以收束满蒙四头政治为统一；第五，可保内阁与满蒙关系官厅之接近及可熔冶为一炉，以便全力对待支那。因有如此种种之利害起见，故依伊藤及桂太郎合并朝鲜之主旨，设立拓殖省以专管满蒙进取之事务，特以台湾及朝鲜桦太等殖民地付之管掌为题，其实则仍以满蒙进出为目的，以期淆混世界耳目，亦可防遏国内不统一之暴露。细思朝鲜合并之时，而不能实行于伊藤统监时代者，因乏有统一的专管官厅，故凡事无不意见多歧，从而不能秘密，随惹出国内之不统一，而被国际及朝鲜国等，干我阻我。后乃由我伊藤及桂太郎等，派出多数宣传员于欧美及朝鲜，宣明我国对朝鲜确保其独立，虽寸土亦无野心，于是国际之疑问方释。及后乃特设拓殖省以掌管台湾为题，密攫其社会，方有一气而成之幸。故殖民及移民之经营，依今日之现状，非设省专管不可。且满蒙新大陆之造成，为日本立国上至重且大之问题，故必须设立拓殖省以专管其事，使其满蒙政治中心点集于东京。其在满蒙驻扎之官宪只命其依命活动，使伊等不能在满蒙随地而干涉施政之计划，自然可以保守其秘密，对手国亦无能力可在我东京探知我拓殖之内容秘密也。夫如是，我对满蒙之一举一动，国际之舆论，必无材料可制我先机矣。

至于南满铁道公司所分离独立之各事业公司、劝业公司、土地公司、信托公司等之经济会社，其监督及施设权仍执于拓殖省，以便合流统一，助帝国满蒙进出之根本政策，以期达到新大陆之完成。

京奉线沿岸之大凌河流域

此大凌河流域浮地颇广，是亦马贼之渊薮，我朝鲜民投资于此颇多，而开垦为水田者亦巨。按此地之广大，料将来必定繁荣，且我国如欲进入热河地方，以此大凌河流域为立脚地颇为便利，将来此地方之朝鲜人移往，我国必须竭力以保护之，容有机会之日，可向支那政府交涉其开拓权，以期容我移民于彼地，而作热河及蒙古进入之媒介。万一有事之秋，我在大凌河地盘，可仍驻屯大军，以杜支那军之北上。不啻为南满之锁钥，是亦一大利源地带。至朝鲜民欲进出大凌河流域之时，我则利用信托公司或金融组合之机关，以尽量通融其资金，其实质之土地所有权仍置于信托公司或金融组合之手，而住在满洲之朝鲜人只担任其耕作之权而已。如论其表面上，仍以朝鲜人为土地所有权者，因对支那政府利权取得之便利计也。此后我国移民或朝鲜人等如于满蒙欲获取土地之时，皆以信托公司或金融组合或银行等为彼等之后援，如向支那人购耕土地权时，应需之资金，亦可由此等之金融机关，为之后援通融，待不知不觉之间，我则择其善良之水田，用经济的方法取之以与我国之内地移民，更驱使朝鲜民再开拓生地原野，以备我国民移住之便利。此乃水田及豆类之开拓积极政策。而对于牧畜政策，则另以劝业公司为专门牧畜机关，以便得寸进尺，收集其畜产而供我国之自给自足。他如军马之放牧及播殖事业，则仍以劝业公司，抑或另设别动队，进入内外蒙古，大为播殖，以充我国防用马之完备。

对支那移民侵入之防御

近来因支那内乱，支那民以万马奔腾之势流入满蒙，从而危害我移民之进展，为我满蒙之进出计，不可不防避之也。加之支那政府对此移民之流入，似乎大为欢迎，故不得不设法防避，因此益使我国对满蒙政策受其威迫。且有美国有名之支那学者莱因士加布氏谓奉天政府为仁德布政，以故四海负其子而从之，并指孟子之移民政策为王发政施仁，天下无不欲耕王之土，无不欲商王之市，无不欲仕王之官云云。是以国际依照支那移民历史，颇以移民多数流入奉天，为奉天政府仁德表现之证据。最有利害之我国，如不设法以驱除之，不出十年后，我之在满蒙移民政策，反被支那以之为驱我上策。

故定于可能范围内，利用我警察力以挟制之，而资本家一方面，则利用工价降下以驱之，另一面则扩张电动力及水电力，以代劳力之用，不但可避支那民之侵入，并可持原动力之势，而推倒满蒙之工业界也。

病院及学校之独立经营及对满蒙文化之充备

此项问题必须绝对独立，切不可与南满联络，盖因东三省民每以为帝国主义之机关，从而不欲就我范围，故须独立经营，方可使东三省民知我国之施恩，能自思念而报我。（中略）此后按时扩张施设男女师范学校，以期熏育支那教育人才，而造成东三省民永远亲日之根本，此乃文化施设之第一要义。（以下略）

日本并吞满蒙之秘密计划

（一）时期　一九三〇年十二月七日午前九时至午后二时

（二）会场　拓务省大臣办公室

（三）出席者　松田拓相　仙石总裁　木村理事　外务省吉田永井二次官　拓务省小村小坡二次官　武家参与官　松永条约局长　亚细亚局长　河部陆军次官　参谋次官及第一课长

（四）议决：（甲）奉派欲将满蒙外交权名实共归并南京，吾人对之，取外宽内严方法以反对之，更借题发挥，强其仍以张学良为外交负责长官，以便帝国保持其特殊地位及特权；（乙）对奉派铁路网之建设，取干涉的态度，以阻其实现，特以迫战求和策略，诱其与我协调满蒙铁道运价与货物吸收区域之限制，似此方足永保南满路与大连港之繁荣，俟天赐机会到来可达帝国对满蒙最后之目的。木村理事对于提案之说明云：怪杰张学良对我，以万马奔腾之势，南以其外交界之王家桢，北以其铁道界之高纪毅，互相分题合作，一举而欲粉碎我满蒙特权，然蒋张乃吴越同舟，因一时的过渡之便而妥协，故吾人料其不久必有蒋张大战之会，然而奉派中，又有新旧二派互相水火，张学良欲露其军阀之真面目，必能与旧派提携，及利用我日本势力，以打倒新派，奉派之兵力虽可与南京相伯仲，然论其财政，必不能与长江方面对敌，而内部之新旧二派，亦能因此而爆发其感情。斯时也，第二张作霖如张学良者之政权，必因而短缩其运命，他如第三第四第五之张作霖，必能接踵而起，竞争分割其东北之地盘，此不但可预期，依我陆军参谋部之努力运动，奉派内部之大瓦解，是既定之必然。可拭目以待也。

张学良政治之背后，尚有散在满蒙各地之马贼团共四千余名，又有八千余之复辟派等，无不仰我鼻息，受我怀柔，万一奉派内部之轧轹表面化时，斯二者使之合流为一，而特以不良无赖之朝鲜人加担之，斯时无论我欲倾向新派，或扶助旧派，抑或竟使满蒙成为复辟之天下，以达到吾人之理想，此皆可依我国利益如何而断定。奉派如欲保全其地位计，如与南京决裂之时，彼须自以何等利益供我，然后求我为之后援，帝国不必辞其劳，而抚断蒋军入满，然蒋介石如意欲统一者，彼亦必以何等利益为交换，而求帝国谅解，许其进兵于满蒙。斯时帝国尽可背奉派之约，许蒋军以便利，方可立场于世界，而免受国际间之误解。欧战后，华盛顿会议所缔结之《九国条约》，无不束缚帝国在满蒙之自由行动，如帝国果以急进的帝国主义以临之，必一举而惹起各国之误解，因此种关系，故满蒙政策，必须在国际方面，在中国方面，都有机会，方可断行，非如张作霖政府时代，凡事皆可依我之意见也。夫满铁所以牺牲二十余万元，致用总员八百余名，作成满蒙马贼底册，并怀柔其头目者，无不因欲制造此种机会，而参谋部利用黑龙会、爱国会、大化会等，与帝制派联络者，亦不过欲制造其机会耳。他如特别组织营口葫芦岛及北宁路等之秘密调查机关，如运动乌苏里及东铁之赤俄当局，与我提携者是皆因欲导我权益之进展而努力为之也。按满铁作如此潜航式之努力，并牺牲如许巨大金钱，无非欲造成我天赐之机会，以便补铸我满蒙政策成为金城铁壁，于此足证仙石总裁对满蒙之难题，无不极欲谋根本的有利之解决，以树国家百年之大计，断非如外间所宣传之无能无策也明矣。

我国在满蒙之特殊地位，虽得自日俄战争，而许多既得权，乃得自张作霖时代，彼张学良敢然脱离军阀根性，而牺牲其特殊政权，奉还南京，以避其对我重大责任，此不仅高筑炮垒以自卫，且放射外交的毒瓦斯于东亚全土，意欲毒害我日本之性命，实为空前之大杰作，如谓蒋介石奸雄可怕，则张学良对我政策之险阴，益为可怕。

我帝国曩曾因欧美各强国对中国尚未感觉重要，又加海禁尚未全开，其民众对华知识，非常浅薄，故一方攻击中国以夷制夷及远交近攻之外交，一方复自学其法而反用之，于是世界各国，中我宣传，而唱出对华国际协调之原则，在此国际协调中，欧美各国，不啻为帝国对华之便衣队。然今日海禁大开，欧美各国之生产，须求售于中国，因而发生亲华之念，且近来中国人民，不论南北，非常觉醒，尤其是外交方策，非常发达，其孜孜向欧美宣传，每大胆无敌，而能订正我国之中伤，因此欧美民众，对于中国之理解，乃加前数倍，重以我国曩昔利用国际协调所剥取于中国者，事后大惹各国之猜忌。故狡猾之美国，乘华盛顿会议之机，一举而冲破我国在满蒙之特权，且以《九国条约》束缚我之行动，继复以英美合作力量，打倒在华国际协调外交之惯例，欲帝国陷于孤立。又奉派之外交，虽仍是远交近攻，及以夷制夷为对满之基干，无如满蒙利源丰富，欧美虎视眈眈，任我日本叫穿奉派之策术，然利之所在，彼等必乐而趋就之，况英美当今合作，其精神乃欲扫灭帝国在华之势力，彼奉派之外交术，正投合其野望，吾人须信英美资本帝国主义，确有与奉派提携到底之可能。夫如是，英美二国，竟成奉派之便衣队，其运用以夷制夷之外交术以制我，而彼乃可坐享中国远交近攻政策之优待焉。余在任地，与林总领事及关东长官司令官等研究至再，发现下列诸外交策略，毕竟须连续的运用，方足以保留我满蒙政策之根干，而不致阻滞最后目的之完成：

1. 以华制华：利用其内部感情，或反对派及马贼团等，以搅乱其政权，借以牵制其对我之外交，且能使欧美各国对满蒙投资发生危险之念；2. 恩中威：凡各事业之进行，一面予以利益，一面即借之行使威权；3. 亲中恶：精神方面则以亲善及平等为表面上之原则，里面则行使中伤及破坏策略；4. 对现有悬案，及未实现之既得权，以日华共存共荣或合办性质为表面上之解决方针，其实仍以取得特权并保留之为要素；5. 满蒙外交权，仍以张学良为担当长官。

奉派铁道网之东西二大干线中，东线之奉海路，既已通至吉林，帝国对此，恐难阻其实现，故无妨做一顺水人情，但劝其许我建设吉会路，我不惜另以天图路全部无价让与之，盖满蒙特产及富源之集散地，东部虽有相当之多额，然以视西部之黑龙江及蒙古方面，其地味之肥沃，面积之广大，均堂堂后之。且西部交通之发达，可使葫芦岛因而繁荣，故西线之完成，实为我满蒙政策之致命伤。今幸通辽洮南间尚未筑路，帝国必须乘此时机以阻之，并及洮南开鲁间之线。倘张学良许我，则我国可中止兴筑大赉路以为交换条件。更乘此机会高调共存共荣之假精神，诱其与我协定铁道运费及货客吸收区域，倘不然者，帝国之南满路，以准许中国投资合并为题而诱之，张学良必入壳中，彼如仍以外交权既归并南京为口实，而拒绝交涉，帝国则以既得权皆得自张作霖时代，且所在地及彼之管辖等等理由，劝其发挥人格，代帝国居中与南京交涉。吾人深信张学良必无所逃其责，免帝国与南京直接交涉，而造成满蒙外交归并南京之惯例。

帝国在满蒙之特殊地位，乃因东北长官有特殊的政权而确保之，请稽张作霖未入关时代，自可了然。及张作霖入关而后，帝国地位因之动摇，幸当时张作霖之野心，专一统一中原，对我满蒙之特殊权益，不敢有何等露骨行动。然帝国至此，益感满蒙之地位，必须早日确定，盖中国之统一，如果实现，我现有之地位，必然被其蹴倒，最后目的更难达到。加之革命势力日盛，英美监视益严，帝国之危机，间不容发。当时田中外相，乃商诸关系官厅，乘革命军北伐机会，利用以华制华策略，炸害张作霖，扶助复辟派掠取满蒙，继见形势不利，转而劝告张学良独立者，无非欲确保帝国在满蒙现有之地位，遂行伟大之皇图。

南满路不振如今日者，虽可谓已达极点，然如按其收入额与里数而比例之，恐我国内地任何良好成绩之铁道，不能驾而上之。盖论其长不过七八百里，其过去数年之平均收入，实为吾交通史上闻所未闻见所未见之暴利。本年（指民国十九年）以来，因世界经济之变动，加以中国银价之低落，南满路营业，因受非常之恶影响，当局者尽费苦心，排除万难，以吸收各地特产，或以车马为集货之中枢，或减收港湾费饮水费等，或以银行机关供给低利金融与各特产贸易商，或暗中减收运费，或有直接活动之国际运输公司，不管利益若何，到处增设仓库，减收其租金，并与货主以种种便利，于此足证南满当局，对于增加收入，实可谓惨淡经营，恶战苦斗，无如世界的不景气之大自然，不许人力换回之，一般人遂误解满蒙当局为无能，致令其黄金的繁荣，被奉派铁道网包围政策所打破云云者，乃其毫无国际的理解，及不明世界的不景气之惨状而发之谬论。盖世人每以黄金满铁时代之收入为标准，殊不知世界的不景气，正亦黄金时代之反映耳。如果满铁因受包围而减收者，则包围满铁之诸路，如沈海、吉海、吉长、吉敦、四洮、洮昂、齐克、呼海、打通等，何以比我满铁之减收，犹惨退数倍，今彼方从业员薪金，且已滞发数月，故满铁之经济，视此尚有非常之余裕，毫不因减收而基础动摇也。

抚顺煤者，其事实为诸君所共晓，该矿系中国所有，帝国唯取其收益及开采之权。唯我国一时既不能用许多，而中国方面亦不能多售，苦无机会，可一时掘完，以增帝国之富耳。该矿之埋藏量，共有十七亿吨，公然发表者为十三亿吨，满铁努力采掘二十余年，共掘出四亿七千万吨，公表者为三亿三千万吨，按其所存之额，非常丰富，满铁虽欲极力开掘，无如世界经济不况而后，贩路大受影响（按仅铁道减收自四月至十一月为二千八十五万五千元），满铁特派调查共四十名，前赴奉派各铁道，调查其收入状况，惊知奉派铁道经济，无不极度穷迫，此皆因奉派交通当局，无国际的经济眼光，徒滥用官权，播弄其金融政策，与我满铁挑战，是亦应得之天罚也。至于以不换纸币，强向人民收买各特产以博巨利，徒使人民极度疲敝，而毫不顾惜，其无持久力明矣，我如能稍忍而姑待之，其铁道网之势力，可以不攻自破。夫如是，奉派之铁道猛进，其打击我南满路之重点，不在今日，而在将来，即东西干线完成之日是矣。

东三省盐务总局之食盐，依明治四十一年七月廿八日条约，此官盐之运输，我南满路有其特权，又附则第四条，如欲废弃本条约者，须于三个月前通知南满路。然中国方面，事前竟不通知，而悉数交其铁道网运输，满铁因此损失莫大之收入，且我国每向各国宣传，满蒙华民，如非赖我满蒙交通之便，其生活与文化，无不须受胁迫云云，亦因此官盐运输之被夺，言之不复成理，遂能使我满铁消失其为两国共存共荣之交通，而变为帝国主义之交通。是故当局对此权利，颇欲夺回，虽恐其惹起中国国民之反感，荏苒而未敢实行，然无日不伺候机会，必使此名誉的假面具，珠还合浦而后止，纵运费减至低于奉派铁道，亦乐为之，必不得已，牺牲其一部分，亦所不惜，此题或因铁道交涉而能解决，则幸甚矣。

帝国国防重地，如兴安岭一带，及开鲁五常等，为战时军团重要地阵营，如长春、哈尔滨、安达等，为战时军团给养及军马马粮等补充及征发之重要区域，无不被奉派以东西二大干线所冲破或被其掣肘，军缩条约成立之今日，帝国期待满蒙，为唯一之国防重心，所幸如前记各地点，除我军部要人，与重要外交当局而外，别无他人知觉，如此秘密，奉派必莫由察知，而特计划该铁道以妨害我，彼盖欲发展其经济，而为此偶然之凑合。夫彼既以经济为主要点，则我国以何等利益与之交换，或能达到阻止之目的，万一彼受赤俄军事家之指导，或竟自己所感，不幸悉与我同，则必须先以何等策略诱其就范，然后别出奇计以阻止之。依参谋部之意见，欲以其东西二大干线之建设，确有妨害帝国国防云云为题，而强迫废止之，无如奉派之外交辞令，非常狡展，彼必谓其东西两大干线之建设，纯系以坚固自国国防及开发满蒙为目的云云以拒我，则我岂非自塞其进路，而不许继续发言乎。

欧美资本家，每视张学良治下为其银箱安全放置地带，自东北易帜以来，其漫然欲投资于满蒙者，共有八大团体之多，其中如纽约财团者，本有意交托满铁会社放资于满蒙，亦因东北易帜，而中国方面及驻华美使之宣传，一转遂拒绝与满铁提携，密派调查团来满，一意欲以奉派为对手，为直接放资之计划。幸当时帝国利用新闻，及驻欧美财务官作种种中伤之宣传，而有冯阎内乱之爆发，故得阻止之。岂料自阎冯军事失败而后，张学良复以其老狯之外交手段，粉饰统一政府之形骸，于是欧美资本团对满蒙投资之野望，更倍于前，而尤重视关于铁道之放资。依外务省最近所接派驻英美官吏之报告，仅彼二国之资本家，目下极力计划放资于满蒙铁道事业者，共有十五团体之多。夫如是，奉派虽自无财力可完成其所计划之各铁道，然彼借其假统一政府为招牌，仅以一笔之签押，自可向欧美资本国借得盈千累万之资金，况欧美资本家处极度放款难之今日，吾人深信其必将趋之若鹜，而崇拜张学良为耶稣，从此欧美等国，因欲确保其放债地盘之安全计，对于张学良之政权，必以何等手段拥护之，对于满蒙领土之完整必益高调依照华会《九国条约》尊重之，而帝国在满蒙之行动，届时必受种种掣肘，故为国家百年计，事前必杜绝欧美资金流入满蒙，使其富源为帝国所独有，即现在主权者之奉派，亦无法与我分甘，如彼为开拓满蒙须建设铁道，至少其所应用之建设费必须向帝国借款，帝国不论如何困难，亦能向英美转借以贷之。

最惨者，莫如帝国在五常及长春等之国防重心地点，无不被其东部干线所冲破。万一有事之秋，凭帝国如何发挥日本海中心主义，帝国武装铁道若吉会路者，纵如何精锐，奈阵地与南满路及内地联络，悉被包围横断，届时帝国虽有千军万马，恐亦不能保全兴安岭及开鲁一带要地，他如满蒙驻军战时之给养，及军需之运输，因四通八达，皆受遮断，万一奉军以其铁道网之机能，由东北西三面而夹攻之，斯时也，南满路必一转而失却国防军事上之能力，而帝国驻屯沿线及兴安岭开鲁一带之国军，不为降虏，即须全覆。

帝国宜以奉派之漠视条约，及我之抗议为原因及机会，先责其失信，次则高调日华之共存共荣，求其许我实现吉会路之既得权，以作东部并行线建设之交换条件，倘能许我，则另饵以何等之物质的或精神的利益，亦于事无妨。况彼内部轧轹猛烈之今日，且与南京非诚意假统一妥协之今日，吾人深信其必能自觉己身终局之利害，而诚意接受帝国之交涉，至少彼亦须中止延吉敦化线，就延吉线吉林五常线等培养线之建设，倘以如此之牺牲条件，而犹不能使彼满足者，至少彼亦须许我实现海林延吉线之既得权，而天图铁道，应用帝国收买办理。夫如是，我国虽不得实现武装的吉会路，于我国防上及经济上，所受之损失，固亦无几，因彼东部大干线之工事，已达成十之七八，尤其是松花江流域之富源地既被其贯通，又与葫芦岛港相连接，任何干涉，亦难阻止，故对其东部大干线之外交，不得不如此屈弱以处理之。

按葫芦岛港，不幸于不知不觉之中，竟被实现者，皆因帝国自信过强，事前不阻止外国资本须与之接近，致有今日之惨。然前车既覆，后车可鉴，此后对外国资本家之欲投资满蒙者必加极力行使破坏中伤之策略，较诸直接干涉，更为有效，且可粉饰日华亲善之假面具，而高唱共存共荣，以显帝国之外交术。

更就其西部大干线而检讨之，幸其洮南与通辽间，尚未建设，此短距离之路线，如可阻止，不仅帝国国防上之要防重地如兴安岭及开鲁或白音太来一带可免受其冲破及威迫，且令彼西部大干线，一变而成中断之形，虽有既成线路，如郑家屯至通辽间，及郑家屯至洮南间，可以利用，无如迂回曲折，计算其出海距离之哩数，较诸南满路短缩无几，我方为使运费与之同额，再在大连港减收其饮水仓库诸费，或更与货主以金融之便利，并减轻其利息，吾人深信借此可以打消葫芦岛之真价绰绰有余，乃挽救满铁与大连之最捷径也。况通辽至洮南路线之建设，明明与南满路并行，帝国出而阻止，实属名正言顺，倘奉派诚意听从，则放弃开原海龙吉林五常间既得铁道权利，以为交换，亦无不可。尚有其西部大干线之培养线，如长春、扶余、洮南线，与洮安、索伦、满洲里线及安达、洮南线等，无不串通北满大富源地带，虽直接受害者为中东路，无如我满铁之黄金铁路时代，及大连港之繁荣，其元素多自该方面得之，况安达扶余，为帝国国防上军马及马粮并兴安岭军团重要给养补充与征发之要地，而洮安洮南索伦一带系帝国战时最重要军团驻屯之阵地，倘此等培养线，一旦实现，则帝国国防及经济，无不被其冲破无余。幸其中如长春扶余洮南线与洮南索伦线等，无不与我长春大赉洮南索伦间既得之铁道权相抵触，我如以此为借口而阻止之，亦堂堂正正，依据条约之行动，如其不听，则要求实现该既得权以挟之，如彼竟许我实现此既得权，则以此长大洮索线培养满铁，夺取其安达洮南间及索伦满洲里间各路之来货，抽取葫芦岛港之繁荣要素，而滋补我大连港，若再不可得，则长春扶余洮南索伦间，至少须与我合办，帝国亦不惜牺牲长大路，及洮索路之既得权，盖奉派方汲汲于国权之收回，帝国不稍让步，必能诱起极大之反抗，且令虎视眈眈之欧美资本家，更集中目光，猛进于满蒙，而增长帝国之危机。然西部大干线之培养线中，既与我满铁无大关系者，如通辽经开鲁至林西线，开鲁热河线等，为葫芦岛港繁荣之一大要素，葫芦岛港有此，将来对于世界贸易，其地位必牢不可破，而世界各大商贾及船舶，必经我大连港而趋之若鹜，于是大连港之繁荣乃被抽夺，且帝国在蒙古开鲁林西一带之国防，亦大受其胁迫，不幸在该方面，帝国毫无因缘可以借口，只好袖手旁观，以待他日之机会。

吾人作外交生涯十有九年，遍历欧美十二国，尚未见计划之深长，手段之勇敢，如奉派者。是必有何等大决心于是焉。帝国仅以恐吓出之，必徒增加其反抗力量，于实际上有损而无益。夫堆积如山之满蒙外交，欲张学良与我一旦全部解决之，谈何容易。彼或借口东北外交已归并南京而逃避其责任，故帝国宜一面假陆军当局之强硬为后援，一面由满蒙当局用怀柔的术策以诱之。关于外交进行方法，吾辈与林总领事及关东厅关东司令长官等交换意见，且又考虑对俄国交涉关系，大约最先着手，要求实现其父张作霖时代许我之既得权以为第一案，次则要求整理关系满蒙之诸悬案以为第二案。待第一案及第二案略有头绪时，再于二者之中，择其损失轻微者，表示放弃或牺牲，以诱其与我协定满蒙各铁路之运输费或客货吸收区域，我可借此协定，以代替满蒙现有势力各不相侵之条约，而实现币原外交之理想，亦可混淆四亿华人及世界各国之聪明，揉消帝国在满蒙实行帝国主义之现象。

第一案　我国依日华条约及协定所获得各铁道权如下：

（一）长春大赉线

（二）洮南索伦线

（三）吉林五常线

（四）吉会线

（五）延吉海林线

吾人试将此等既得权利洗练之，首推吉会路为最要，吉会路不但是帝国武装的铁道，为将来实现帝国对满之最后目的计，为对北满实行经济侵入计，皆系我国策上不可欠缺者。加之吉敦一段既已完成，我要求实现吉会路，颇有基础，纵使临之以压迫外交，亦不至受世界之误解。况帝国既欲放弃洮索路与之交换者，谅张学良不至于发生何等反感，如竟不许，则帝国放弃海林延吉路，及海龙吉林路，亦所不惜。倘彼如以天图路许我收买，并延长至吉敦驿，而将海林延吉路与延吉海龙路作为日华合办事业，我则可将吉会权利之要求暂时中止，想陆军当局，亦不反对。他如吉林五常路，如得把持之，自可以制彼东部干线之死命，然彼如肯许我实现长春洮南路之既得权，抑或许该路为日华合办事业者，我则放弃吉林五常线亦无妨。总而言之，帝国所重视者，唯吉会长洮吉五三线，将来视交涉情形如何，我或以放弃长洮线为饵，诱其许我实现吉会线，然后更以放弃吉五为饵，诱其复活长洮线，余料最坏之成绩，亦令彼中止东西二大干线之建设，以保日华国交小康。

第二案　满铁直接关系所未解决之悬案如下：

（一）打通之建设；（二）吉海之建设；（三）吉海吉长之接轨问题；（四）洮昂路工费决算问题；（五）吉

敦路建设工事问题；（六）洮昂路日本顾问权问题；（七）四洮借款问题。按满洲善后条约会议之时，清国委员声明，谓“清国如欲保护南满洲铁道利益，在该铁道未收回以前，承诺不在该铁道附近建设并行线，或害该铁利益之支线”。读此，可知南满路之于满洲，确似有其神圣不可侵犯之独占铁道权，彼奉派之欲接轨前设各铁道，及建设东西二大干线者，无不与此声明相抵触，我国如以此为原因而干涉之，彼所计划之铁道网，无不应受我之制裁，此乃帝国对满蒙交涉最有效力之原动力也。无如国际法之精神，独立国之国防建设，皆可基其自主之行动，故我虽有上述清国委员之声明，亦不能借以阻其全铁道之建设，然择其重要路线，借此权利以破坏之，尚无不可，然又不幸，各法律家，对于该项声明，谓其仅能作为一种希望，不得恃为正式利权之主张者，大有人在，其要点如下：

（一）既非明载在条约上者，不能作为条约的正当利权之主张；（二）清国委员，事前事后，皆未得清皇之敕许，其声明显系越权行为，依国际法不生效力；（三）明治三十八年十二月廿日《日清满洲善后条约》，并附属条约缔结之时，在本条约第二条，谓“日本政府承诺遵行清露两国间所缔结之租借地，并铁道敷设所关之现行条约”云云，然清露间之铁道条约中，无有所谓不建设并行线之条件，果日本强欲以清国声明为有效者，显系与本条约第二条所载相矛盾；（四）该项声明“清国为云云”者，于冒头清国二字下，既未有“政府”字样之标明，自然此声明责任，不得为清国政府应该负荷之解释，加之“所谓保护其南满路之利权云云”者，事属政府对民间事业奖励保护之意，其保护期间如何，政府皆有自主变更之权利；（五）该项声明如果有效，则南满路一举而可为满蒙独占的交通铁道，遍查世界各国，无此先例，如有之，则与人类进化及幸福之原则相违反；（六）明明违反华盛顿会议之对华领土保全及机会均等原则；（七）声明中附近二字之解释，颇难一致，果以几里或几十里之距离为附近乎？以上之法律论者，多为英德之法学家，而我国亦颇不乏人，然中国非法律国家，且其人民亦缺乏法律知识，帝国若以此为原因，而临之以威严，吾人深信奉派必能以何等利益与我为交换，而解决满铁之悬案无疑也。

至于洮昂吉敦四洮各悬案，多为金钱上之关系，唯洮昂之顾问权，与吉敦之会计权，因欲牵制其铁道网之繁荣，并抽收其势力与权能计，是亦甚必要者。故对此权利，必努力实现之，方可坚固帝国之特权，余如吉敦洮昂等路之满铁包工，本皆使用我国出产之贱价材料，但仍以高价之外国制品为基础而估价焉，且兴筑应用之延人权，亦由帝国便宜的而增加其计算，因此工费颇为多额，彼奉派虽知之，亦无与我清算之知识及证据，我则促其与我计算此费，待明白后，乘其财政困难之今日，以如数偿还为胁迫，彼必与我接近而商量延期，或缔结正式借款条约，然我如借此以导满铁于有利计，可牺牲前记建设费用一部分，而诱其与我协定满蒙铁道运费，再不然者，则牺牲四洮路延滞利息以与之交换货物吸收区域之协定，彼如诚意与我作如此之协定者，任彼如何发展其铁道网，我满铁决不惧其包围，关于运费协定，须使奉派铁路运费与南满路运费为同一，至其同一之基础，以每吨每里运费若干为单位，而论其距离长短，皆相互依此协定之额计算之，盖将来奉派之东西二大干线成功之时，北满特产经葫芦岛出口者，其产地与该港之距离，较诸由大连出口之里数为多，自必增长其运费之担负。至若协定外之竞争，奉派无非以其政治的势力为后援，我则以港费仓库料饮水料等之降下，又以我调整的金融机关之机能，与货主以方便及利益，其最后战胜之荣冠，必属诸我。又奉派铁道，每乱降其运费，使彼沿铁路华煤如万马奔腾之势，以进出我抚顺煤，本年之大减收，因实在此，倘协定运费成立，华煤必有一部分流入满铁，遂可使其成本增重而无力与抚顺煤争。

关于货物吸收区域之协定，兹定步骤如下：

（甲）满铁之东方以五常吉林海龙等为中心线，出产物在其西者，归满铁吸收，在其东者，归奉派铁道吸收。铁道之西方，以齐齐哈尔洮安通辽为中心线，出产物在其东者，归满铁吸收，在其西者，归奉派铁道吸收；（乙）在满铁西部方面，自四平街至洮南以北之产物归满铁，余者归奉派铁道，在满铁东部方面，由长春至吉敦以北之货物归满铁，以南归奉派铁道；（丙）如甲乙二案，奉派皆不满足，则略仿南满路与中东路协定之例，南下货物，满铁得其四四，奉派铁道得其五五，此不问其出口由大连，或由葫芦岛，或由营口，到时总计其数而按分算之，是为帝国最后之让步；（丁）依上例甲、乙、丙三案，均不能达到目的者，则求张学良之同意，招集中东南满路各当局与奉派共同开会商议协调方法，然吾人之理想以为欲确保帝国满蒙权益于永久者，应借南满路改作日华合办以实现共存共荣为招牌，运用奉派以其铁道网与南满路合并，皆为合办事业，如此方法：（一）可揉消帝国主义之恶名；（二）可混淆华人之聪明；（三）可遮断欧美资本势力之侵入。万一有事之秋，帝国借合办权利，不论何路，皇军皆可自由征发及占用，为帝国遂行满铁之最后目的计，不得不深长谋虑如此。近接伦敦情报，惊知奉派又欲伸其魔手于秦皇岛，以强固其抗我之原动力，不幸彼所运动之“自由运货采用港”如得实现，我满铁及大连港，更受意外之打击，现虽以日本邮船会社之势力，在伦敦向欧洲复兴“运货同盟本部”以破坏之，然尚未可乐观。尤可痛者，赤俄本有诚意与我缔结密约，以防奉派势力之进出，不料一见奉派魔手再伸至秦皇岛，遂恐海参崴及中东路之繁荣受其大影响，乃乘奉派送彼一秋波之时，毅然激变其主张，与奉派作具体的接近，益使帝国单独受敌。依满铁驻天津通信员之情报，谓奉派运动秦皇岛港为自由运货采用港，如成功时，北宁路拟更建设第三埠头，俾可收容五千吨汽船九只，合旧所有，其收容力可达十万吨船之巨，如此则秦皇岛港货物集散能力一举而达五百万吨，将来再以其东西二大干线为武器以培养之，诚堪制我大连港之死命。北满特产由产地至出口，如论距离，彼只近我满铁区区三里，然以运费比较之，我到底不能与彼竞争，我满铁及大连汽船会社等，受秦皇岛之胁威，将视葫芦岛为尤甚。吾人早知张学良外交手段之巧妙，故未赴任之先，拜访林权助老前辈，求其指导对张学良外交之策略，幸林先生不我遐弃，授我以秘策，谓张学良虽为军阀之子，为一白面书生，其实策略非常丰富，虽世界之外交国如英吉利之老外交官，视之亦犹不及。对渠办外交时，必须先以恭敬亲顺为前驱而发挥假诚意，代渠作有利于彼之谈话方可诱其信用，次则伪造监督当局种种强硬主张以吓之，终则求其为我辈保全饭碗，恳渠同情的解决交涉各案，然尚须防备者，切不可被渠反用此策以对我云云。吾人在任地参考林总领事之意见，并洗练满铁对张作霖时代种种外交之历史，以为林权助先生之教训，洵为对张学良之良策，吾人或者依此而运用亦未可知。

此回帝国对张学良挥外交权者，认时机为最适合，因此而能博得全部成功固好，以最恶之结果而言，帝国如不能实现既得各铁道权利者，奉派亦须中止其东西二大干线之建设，盖帝国在满蒙之特殊地位权益，如可保持现状者，自可使救满铁于垂危，纵将我既得各铁道权利葬诸有耶无耶之乡，帝国外交，亦可谓一部奏凯，盖将来自有天赐机会，以解决满蒙一切问题。

上述为交涉失败时最少限度收获之预想，吾人甚望其不至如此地步，至于下列各项，系欲作本回交涉之前驱，已得仙石总裁之裁许，而林总领事及关东司令官关东厅长官等亦已充分谅解，倘能实现，自可为交涉成功之满点。

（一）满蒙铁道问题系属民间营利的社会，如满铁者之利益关系，故应视作地方问题，以张学良为担当长官，倘张学良以满蒙外交权既已归并南京为口实而欲逃避其责任者，最少限度，必须张学良代替南满会社向南京政府交涉；（二）满蒙铁道欲开发，必须以日华共存共荣为主眼，其东西二大干线如有妨害南满路之利益或与南满路平行者，皆须休止其建设，方不危害我之既得权；（三）帝国屡屡抗议既建设成功之路如吉海打通等为共存共荣计，可默许之，但须以何等条件为交换并保障满铁营业上之利益；（四）洮昂与打通之联络，此与满铁并行，为危害既得权之尤者，故通辽洮南路绝对不许建设；（五）洮昂打通，如必欲联络建设者，满铁亦欲建设培养线以保其权益；（六）长大路及吉会路欲求即时实现；（七）满路关系所未能解决之各铁道借款及顾问权与会计权实现之件。

天羽“四一七”声明

一九三四年（民国廿三年）四月十七日日本外务省发言人天羽发表关于垄断中国之非正式声明，反对中国有违反“东亚和平”之任何计划，并反对他国供给军用飞机、军事教练及政治借款于中国。这个声明是日本欲并吞中国，独霸东亚的最露骨的表示。其声明全文如下：

“关于中国问题，日本之立场与主张，或有不与列国一致者，唯日本为尽在东亚之使命与责任，实立于不能不尽其全力之立场。晌时日本之所以不能不退出国联，实因日本对于自国在东亚地位之见解，与国联相左有以致之。日本对于中国之态度，或有与外国未能一致者，亦未可知；唯此种情形，乃导源于日本在东亚之地位与使命而不得不然。日本对于各外国，常维持增进交好关系，自不待论，而日本为维持东亚之和平及秩序，以单独责任进行之事实，日本亦认为系当然之归结。又单独进行维持东亚之和平与秩序，乃日本之使命，日本对此使命，有决行之决心。唯欲使上述使命得以进行，日本又不能不与中国共分维持东亚和平之责任，中国以外国家，固非分责任者也。职是之故，中国之保全、统一乃至国内秩序之恢复，自东亚和平见地观察，固日本最所切望者。唯中国之保全、统一及秩序恢复，必有待于中国自身之自觉与努力，已为过去历史所昭示，此种情形，现在为然，即将来亦莫不为然。帝国自此种见地出发，认中国方面苟有利用他国，排斥日本，出之以违反东亚和平一类手段，或出之以以夷制夷之对外方策，日本不得已，决不能不予以排击，又列国方面，苟因顾虑满洲事变、上海事变形成之情势而对中国欲将共同动作，则纵令其名目为财政的援助或技术的援助，终局在中国，必然的带政治意味。此种情势助长之时，遂开设定势力范围、国际管理或瓜分之端，此不仅对中国为大不幸，即东亚之保全，乃至为日本计，亦有影响重大之惧。日本在主义上，不能不对此表示反对。唯各国各别与中国自经济上贸易上进行交涉，事实上虽为对华援助，但在不妨碍东亚和平维持范围以内，日本亦无对此实行干涉之必要；如上述措置，诚使东亚和平维持陷于纷乱，例如最近外国对华售卖军用飞机、教授飞行术、派遣军事教育顾问、军事顾问等，或借政治借款，结局明白离间中国与日本及与其他各国间之关系，发生违反东亚和平维持之结果，日本就其立场言，不得不反对。

上述方针，虽为日本从来方针之当然的演绎，然因最近外国在中国国内，共同动作，以援助一类之种种名目，积极的策动，此时明我立场，决非徒尔也云。

日本对华的基础观念

下文原是一本小册子，系民国廿四年九月二十四日日本天津驻屯军司令官多田骏少将招待日本记者时所分送者。此项小册子，虽经揭载此项文件之日文报纸及日外交人员声明，并非代表其本国政府之意见，亦非驻屯军声明书，而为多田个人之小印刷物，但日本军人对中国之态度，从此可以见矣。

一　绪言

自西力东渐以来，各国之对华态度，或主分割，或图共管，或谋扩张势力范围，或思争夺权利市场，大有惟日不足之况。此等侵略手段，虽与时推移，屡经变迁，要不外牺牲中国，以图繁荣其本国而已。独我帝国，依据国是，始终一贯，力图保全中国领土，并以日华共存共荣尤应亲善提携为根本主义。然有时不无追随欧美之态度，步其后尘，甚至有主张并吞中国者，因是我国民中，受此种思潮之影响，对华观念，极不统一，致使国策上发生障碍，一再不止，因此而给与中国民众之恶影响，亦属不浅。今日中国对日感情之恶化，其原因有须待吾人三省者；换言之，则须返而遵循我原来之国是而已。

反观展开于吾人眼前之世界大变局，白色人种之穷于进行，以及对于白色人种之横暴跋扈现状打破运动，其占有世界人类大半之有色人种，已由白色人种之奴隶压迫下解放，以图世界人类之平等平和，是为人种战争的开始；一方可视为欲以东洋本来之精神文明，矫正西洋之物质文明，为精神战争的开始。

以上天赋之二大使命，为帝国应负之责务，帝国之毅然建设满洲国，脱退国际联盟，废弃《华盛顿条约》，即为其第一步。

日本帝国将欲完成天启之大使命，日本不可不先保持其强盛与公正，如日本自身脆弱，焉遑他顾？有其力而不公正，则岂能永续发展？基于以上之观察，帝国之对华态度，必当遵循我之国是与使命。我帝国大陆政策之根本方针，在谋自身之发展，同时解放救济东洋之被压迫民族，使之安居乐业，保持各民族之面目，尊重其独立，与帝国和亲协同，在政治经济上、军事上树立密切不可分之关系，此道实证之天地之公道而不谬，施之中外而不悖，乃吾人俯仰无愧于天地之信念也。

吾人为贯彻天赋之使命，基于以上之信念，以期扶助弱小邻邦，招致东洋永远平和，允宜奉行神武天皇之大诏，勇猛直进。

对华问题之如何解决，实为能否贯彻上项使命之试金石，今已于华北投第一石，务宜不拘旧套，不弄小策，考究公明正大、万人悦服之方法，正正堂堂，击灭足以阻挠大义之诸障碍，以真正救济四万万民众之气概，向前猛进。因是直接间接，从事于此圣业，在对华政策上，须有统一正常之观念，以期循轨而行，此本着之所由作也。世人勿视为徒尚空理之愚论，运用之妙，在乎一心。

二　对华政策之根本主义

帝国之对华政策，一方面则根据其国是，在维持东洋之永远平和；一方面则为完成其大使命，在解放呻吟于白色人种压迫下之民族，以此二者为立脚点，自无待论，更须进而适确诊断中国之病源，施以适切之自疗法。

中国民众，六千年以来，均为政府、地主、财阀榨取之对象物，有古今历史，可以证明，即统治者除榨取以外，无增进民众福祉之热忱，观乎民众之不信赖官吏，以不干预自己为善政，明矣。

今中国民众，自民国以来，受各军阀贪婪无厌之榨取，近更因党阀蒋介石与浙江财阀结合而成之新军阀，加以向未曾有之苛敛诛求，呻吟于此种状况之下，生活艰难，每况愈下，加以天灾、兵灾、匪灾循环而起，农村趋于崩溃，将为匪化乎？为流民乎？抑为共匪乎？彷徨歧路，无所适从。

如是苦境之大半，实由民国以来蒋介石一派握有南京系政权之所致。彼等之政策，对内除榨取破坏以外无他物；对外则但求达其目的，不择手段，徒弄“以夷征夷”之愚策，自掘坟墓。尤其对于日本，不思自国之得免于分割共管，皆恃有日本之存在，乃竟忘此大恩，视若仇仇，不但蹂躏我帝国之正当权利，且包藏祸心，与列国相谋，欲乘帝国之危难，而加以陷害，其谬妄非言语所可形容。

此不但对于善邻之日本，在国际道德上，固所不许，而就中国自身而论，则因此使日华间屡生不幸事件，甚或酿成排斥日货，徒增加民众之苦痛而已。

彼等不悟无日本即不得存在之理，专事鱼肉民众，以饱私腹，不但为帝国及中国民众共同之敌，即谓为人道之敌，亦非过言。故救济中国民众，不能委诸此等军阀，且及今不救，则此可怜之四万万民众，必致投入不可救之漩涡。果然，则在我唇齿辅车关系之帝国，所受影响甚大，乃为洞若观火之事，是实为极东平和之祸根，日华国民之最大恨事也。

由是观之，帝国对华政策之根本，在彻底变除此种祸根，与救济中国民众，以图两国之共荣共存。或谓日本国内之状态，亦属非常时期，焉能致力于外？然对华政策之进行，视其方法如何，非必须重大之牺牲，况我之对于满洲，以及中国，其政策之良否，影响于国内至大也。

三　帝国之对华态度

甲　须公明正大

帝国对华政策之根本主义，既以救济中国民众与日华共存共荣为基础，自宜以俯仰无愧于天地之道义心为信条，保持公明正大之态度，凡对内对外之态度，有足以使人致疑者，其行动不可不慎。世人往往非议中国人之权谋术略，但我亦不免有不知不觉而躬蹈此弊者。不纯之权谋术策，非王者之态度。且施用此术，终非彼等之敌，有时出于权道，不得已，而可偶一为之；然决非常道。吾人宜以公明正大之阵，为治病之方。须知正义有强大之永续性，宜时时以民众福祉为基础，如有妨害达成帝国之使命者，不问为何国人，不可允许，即属邦人，苟有不正不义者，亦应严为取缔。

如彼等所谓抢掠主义的利权获得运动，又如制造密卖麻醉药，或半公然之秘密输出入，以至不法强乘火车，在帝国之名誉上，实留一大污点，其中更有利用帝国威力之背景，白昼公然藐视中国官宪，横行恶事者，其狂谬不可言喻。

似此丧失日本之信用，使人误解对华政策之真意，至成诱起不祥事件之原因，而其结果，则波及于皇军以及母国，是实万难容许。此外又有为政治运动者，致误被认为帝国之阴谋，徒惹起民众之不安，减少对于帝国之信仰。帝国心事正大，但因此而招致疑虑，此宜特加注意者也。

乙　须使用正当威力

欲击灭不正不义，膺惩顽冥不灵，则不得不使用正当威力。对于好用权谋术略，而藐视道义观念之中国知识阶级，尤须如此，但行使威力，务须格外慎重，期无误谬。其不正不当者无论矣，即片面的为正当之要求，而常以威力胁迫，以图贯彻，必致对于民众留永难消除之怨恨，酿成民族斗争之因素，于达成帝国之崇高使命上，贻一绝大之祸根。即如彼等所谓撤废不平等条约，打倒帝国主义运动，固出于彼等为政者颠倒顺逆之自我思想；然一面反观对于先进诸国，不当压迫之反抗运动，亦足引为殷鉴。况帝国所负之大使命，基于招致世界永远平和之大理想，故其方法如何，足以影响于世界弱小民族之归趋，乃必然之事也。

要之，威力之使用，等于降魔之利剑，须以正义为立脚点，有俯仰无愧于天地之概，不可滥用，亦不可姑息。苟属必要，即毅然行使，勿宜左顾右盼，迟疑逡巡。

丙　排斥榨取主义采用施与主义

日华经济提携之根本，为共存共荣；共存共荣之根本，在废止榨取主义；榨取主义；乃欧美资本主义之遗物。西洋物质文明，已有日暮途穷之势，今更尝其糟粕，其愚为何如？况帝国大陆政策之根本主义，在本乎道义，救济世界人类，是以帝国不可不讲求符合主义之独特方法。独特方法为何？即彻底实行施与主义是也。

今欲救济疲劳困惫处于濒死境遇之民众，有先与以药与荣养之必要，此当然之事也。详言之：即对于中国民众，当先与以资本，与以技术，与以安居乐业，以全其生存；次宜与以生活之余裕，与以购买力。果能对于地方民众，与以幸福，则精神上，对于帝国，自无待论；在经济上与帝国亦有不可离之关系，为帝国生产品之市场，亦为原料之供给国。增进相互之福祉，达于共存共荣之境遇，非不可能也。若不明变迁无穷之世界实状，墨守旧习，堕于利我的榨取主义，或只以利权获得为能事，以致时代错误，重蹈覆辙，为世界之落伍者，其愚孰甚。反是，依前述之旨趣，勇往直前，为世界弱小民族所共仰，无待我求，而被推戴为盟主，乃势所必至者也。

所谓大国主义，在于脱却利我的乞食根性，以施与主义之自觉为基础。从容不迫，自处于较高之地位，尊重对方之人格，而有包容之度量是也；此即绥抚悦服异民族之要件也。

丁　尊重独立保全民族之面目

世界各民族，各有保持其民族面目之欲望，即对于独立之执著心，此为本能的民族思潮。其在经济上已成熟之欧洲诸国殖民地，皆有脱离本国之羁绊，欲谋独立之倾向，为无可疑之事实。但自欧战后成立之诸小国，有因感受经济上独立之苦痛，而希望合理的合同者。他方面则因合并异民族国家，在统治上及财政上，就其本国而言，有增大负担之不利，致成为须费考虑之问题。

综合以上诸问题，加以判断，帝国之大陆政策，如专图扩张领土，则足以使本国国力，趋于薄弱。故当满洲国建设之时，采用独立不可分之新原则，亦以此也。是以帝国臣民之有心者，勿再标榜并吞中国，或侵略中国，以致时代错误。但邦人中之无智者，尚有欲使满洲为第二朝鲜之言动，致惹起满洲人之疑惑，统治上发生恶影响之实例。在中国为政者，亦尚有故意宣传，使无智之民众，增加对于帝国之敌忾心者。中国人为重面子之国民，是以须特加谨慎，对于彼等率直鲜明，说明帝国之真意，并使其理解我公明正大之主张，乃谋增进民众福祉，排除妨害此项目之人类公敌。

戊　**勿拘于人的关系，宜采是是非非主义**

当中国军阀最盛时代，捉住其时代之要人，加以操纵，认为对华政策施行上最便利之方法，然其成绩，果有几何？往昔之失败，即在过信个人之力，而无视一般之利益，致演成助暴为暴之愚，其结果徒买民众之怨恨而已。

今帝国之使命在增进民众间相互之福祉，苟助个人之私利，而反民众之福利，是全然没却其主义，不过再蹈从前之失败。

日本人之弱点，在厚于情谊，往往因日常之往复频烦，对于对方，生亲疏好恶之别，于不知不识之中，而发生此种错误，甚至为彼等先天的巧妙外交所播弄，或代彼等辩护，为彼等掩饰罪恶之宣传所利用，或因错觉而误下判断，是皆宜加以注意。又对人的关系，随人之变化而变化，不能永久继续，转因此而有不利之影响，此不可忽视之问题也。故对华政策之施行，当根据以民众为对象之观念，勿以个人为对象，以其人之思想及其行事之善恶为对象，勿为个人的感情所拘束，此最需注意者也。

己　消灭新旧军阀及其他榨取者

中国之旧式军阀，向以榨取人民肥其私腹为能事，对于民众之福祉，绝不关心。就中国社会言，其存在实有害而无益，已为一般之定论。故因时代之进步，入于逐渐退化之一路，此种军阀之大部分在今日已为蒋介石所压倒分散，仅存残喘，目下在华北之军阀，受中央之压迫与监视，窥中央之鼻息，仅获保持其地位，只知设法延长期间，以便榨取民众，搜罗不义之财，无何等之气力与势力。除一部分外，已无从发现，有如往昔反抗中央，毅然独立雄飞于时之气概。世人或有期待其大同团结，或发挥其威力者，然利害关系相异之彼等，实未具有舍小异而就大同之雅量与勇气。即或有之，皆希冀借他力以图存，欲期其成就大事，亦属绝望，此证诸已往之历史而可知，在今日已属末期之军阀犹然。故今日之军阀，慑伏于帝国威力之前，以阿谀便佞为事，善为迎合帝国主义之言词，要不外为保持地位之手段，无何等主义信念热诚，此大可留意者也。

次则利用军阀之贪婪性及其无节操，使其提供利权，以资我之发展经济；或与以资金兵器，希图利用，此为往时所采用之方式，实反乎帝国公明之主义，断难采用。且就华北言：帝国在华驻屯军，今日在事实上已获得支配权，更无利用之必要。

要之，现存之军阀，不但无利用之价值，其害更大，宜指导中国民众，与之协同消灭。然当此过渡时代，欲将现存之军阀，一举消灭，为不可能，先令其追随帝国之指导原理，暂许其存在，此亦万不获已者也。所宜注意者，勿再蹈前辙，更扩大其势力而利用之，或助长新军阀之发生是耳。

庚　排击职业的亲日派

中国有自称亲日家之一团，其人为日本留学生身，娴日本语，欲借此以致富，或谋生活之资。此等亲日家，介于国民政府当局与日本之间，善为迎合日本官吏之言词，貌为调和两国家以亲善提携为口头禅，彼等除缓和帝国态度，搜寻我当局之意向态度外，别无他用。如操纵彼等贯彻帝国之主张，恐因彼等而误其判断，或因彼等泣诉哀求，巧言令色，而归缓和，呈缓冲地带之观。彼等所擅长之日本语及日本知识，非为日本计，乃为自己国计，于日本非必有利。但日本朝野，恰视如救世主，实为可嗤。中国人无欧美派亲日派之别，只有称为中国派者，此实况也。事实上了解大局，深知与日本有提携之必要者，不限于亲日派，在欧美派中亦有之。要之，如前所述，不以人为本位，而以事为本位，加以观测，与之交涉，可也。如由我先存一成见，加以亲日派欧美派之区别，而杂以好恶之情，宁非滑稽，结果必为彼等所用，而无丝毫之益。况今日之所谓亲日派，其实力财力，多为劣于欧美派之落伍者，不过在目下之情势，蒋介石为缓兵计，有利用彼等之必要而已。

要之，帝国如依赖此等职业的亲日家，以谋日华亲善提携，愚之甚者也。毋宁与真正之实力者，或责任者，直接接触，决定可否，辨别黑白，为贤明之策。故须注意者，即介于中国间之缓冲地带，对于中国无必要，对于帝国则有害而无益。但此辈今尚在各地跋扈，未娴语学之日本人，因便宜主义，而利用之，其结果每为彼等所利用，此须特加注意者也。

辛　舍弃错误之优越感

中国人之不平，以日本人蔑视中国人，任意发挥优越感为最感不快。吾人与中国人比较，可持优越感，虽属当然，但任意发挥优越感，无视一切，则非所以绥服彼等之道。至如不良日本人之运送禁制品，或强乘火车，种种不法，而对于中国人，则傲慢无礼，为人所不快，殊失大国民之态度。对于中国人动辄发挥优越感者，适以表示与彼等同其识见。在有真正之优越感者，其自处固高人一等。然有尊重彼等人格爱护彼等人格之大度量，以取大国民之态度为至当。如是，则兄事帝国，师事帝国，不求而服。盖因国力之不同，故有此当然之结果。此表面之优越感，在满洲之统治上，对于两国民之融和，亦受其害，实足为施行大陆政策之障碍，此应特加注意者也。

要之，帝国对华政策之基础观念，本乎救济世界人类之大方针，此即为帝国大使命，故须先救济中国民族，谋与共存共荣，以招致东亚之永远平和，故当本此信念，堂堂正正以断然之决心，排除障碍，勇往直前。

四　对于国民党及蒋介石之认识

根据以上所述之公正方针以临中国，其阻害实行者厥为国民党及蒋介石之存在。然近时因屡传蒋介石悔悟反省，或转换亲日，遂信为有实现之可能性，此盖由误认蒋介石之中央集权，在某程度上已告成功，并希望转化此主宰者，以为即可正本清源，实则无异以梦境与现境混而为一。夫不属于数学之抽象议论，本不能强其一致，然对于为结论之前提条件，若能明白认识，则其结论自亦一致，此就统一帝国之方针上所应努力之要件也。故于此说明蒋介石及国民党，与日本不能两立之理由，以供参考。

自国民党成立以来，其所主张之撤废不平等条约，打倒帝国主义，其当初之动机，纯与不纯，当与不当，固当别论；然唱导已十数年，现今之中国青年（在彼等视之为爱国者）早已具为信念。乃在此时期，满洲事件勃发，彼等回复失地之希望，不但根本挫折，且因国土之丧失，完全失坠其面目，因是党部之指导方针，受致命的打击，其怨恨如何深刻，不难想象。至蒋介石自身，亦再三与日本龃龉。迨济南事件以后，更与日本处于全不相容之立场，此事实也。现今之国民党部，经蒋介石屡施清党运动，完全化为蒋介石之私党，乃尚以为个别存在，有认为两者之分离工作者，其所见亦太陋矣。蒋介石即国民党与浙江财阀所结合之新军阀，对于中国四万万民众，施未曾有之压迫榨取，既如上述，此民众榨取者，不能与为民众图幸福之日本合作，彰彰明矣。故世人往往以蒋为机会主义者，若大势不利，即转变方向，此实盲目之观察也。盖彼之转变方向，其意味即为屈伏，有可贻污名于千载之性质，且使其奉为信念之主义方针，全然更改，招致等于自杀之结果。又观乎蒋介石、宋子文、孔祥熙、陈果夫等为中心之政阀，与浙江财阀之关系，及彼等与英美之关系，以至彼等私财之大部，多存于英美系银行，事实俱在。与彼等利害相异之日本，能否结和，至易明了：乃犹以有亲善之可能，就帝国言，不得不谓之奢望也。

更征之现在之事实，华北事件之结果，国民政府虽有亲日转向之命令，然暗中反日工作，尚未停止。党部，蓝衣社之余党蠢动，军分会之秘密反满行动，固无待论，南京政府之实业部、铁道部、财政部暗中设法阻止日华提携。以上各事，可因几多之实证而明了，方以明朗化相期待之华北，遂陷于不禁失望之状况。吾人即假定彼等值现在转向之时，遽难变化其保护色，及消灭根本浸润于下层之排日思想，须有相当时日，不无可谅。然反观上述，彼等在华北之积极反日行动，历历可证，实觉遗憾，不能不推定为全无诚意可认也。

亲日转向，苟非在事实上具体实现，实无何等效果。就上记事实而论，彼等之转向，不过弥缝一时，缓兵之计。故万一彼等屈于我之威力，或得相当之代价，承认满洲国，讲求其他若干粉饰表面之手段，但国际情势变化，彼等所谓复仇之好机一到，必追随外国之后，再以撤废不平等条约，收回失地等为标语，而遭反噬。故所谓转向，所谓非转向，皆系就将来加以预测，原难强同。但若误下有利于己之判断，并不可期待者而亦期待之，致陷于术中，一旦遇有缓急，国家所受之危险如何？苟念及此，则思过半矣。要之，蒋介石及其一党与帝国之关系，帝国屈伏乎？抑帝国打倒彼辈乎？非此不能解决，盖已为一定之因果关系矣。

五　中国之赤化运动

中国之赤化运动，与国民党之容共政策，同时弥漫于全国。蒋介石自昭和二年以来，驱逐共产党，屡为清党运动，然其思想尚浸润于下级党部。蒋介石等首领，与浙江财阀结合后，虽已退化为资本主义的新军阀，但其组织形体行动，与共产党相距不远。征之实迹，极易明了。故蒋介石经数年之久，努力讨共，亦未能收何等重大之效果。犹之橡皮球抽出空气之一半，压其一端，则他端膨胀，终不得而破坏之，以此喻彼，则根本的剿灭共匪，为不可能。且正在扩张其势力，联络四川、青海、新疆，完成第三国际所企图之西北路线。因是对于蒋介石讨共，不得不致疑也。

中国之共产党，尤以彼等所称之共匪，与苏俄之共产党，异其旨趣。其组成分子之大部分，殆为农民，此即其特征，毋宁认为因国民党之恶政而发生之农村穷民，与反国民党分子之集团，借共产党援助，以期完成其生存之一种运动。一方苏俄共产党欲利用之，以扩张其势力，而与以指导，亦当然之事。故国民党之匪政倘仍继续存在，则农村之穷厄愈甚，共匪之蔓延亦愈烈。

中国可否赤化？为国民党勃兴以来之问题。易姓革命，中国自古有之。遇有地方兵变之机会，土民追随军队，掠夺分配富豪之财产，视为当然之权利，此种原始的共产观念，为共同的心理。一方今日之共匪领袖，使其地方人民以及部下实施原始共产主义，而自行征收其分得之财产，此种事实，即表示向军阀退化。分配之目的物，既失其存在，自然有退化安定之可能性。又苏俄之实行共产，因有政治侦探部及赤卫军等之极端压迫专制，始获实现，在中国决不能成立如此有统制之机关。观乎蒋介石蓝衣社之政策，明矣。故观上记二个事实，纯然之共产党政权，能否树立于中国，实属疑问，且征诸中国国民性，共产党即令一度风靡全国，然大风一过，具有自然退化之必然性，不难判断也。然因过程之混乱，预察人民所受之苦痛悲惨，与夫及于我帝国之影响，终不能如隔岸之观火，尤须预防苏俄利用之以为企图破坏我帝国之手段。

中国共产党（共匪）已如前述，皆因国民党之为政者恶政而产生，救之之道，在于改革恶政，即减轻人民之负担，至少须保证其生活。故由防止赤化救济人民之见地而论，将中国从来之为政者，为根本的改造，实为日华两国国民之共同目标。加以中国国民党，如前所述，具有与苏俄共产党相距不远之组织形体，我国一部分人士之预想，以为穷则必转向亲日，不知不如转向苏俄共产党之可能性为更大也。依最近消息，可云已有征兆。蒋介石之与苏联结合，希图受其援助，妨害帝国之政策，已甚明显，此须特加注意者也。

要之，中国之共产党本不足惧，但苏俄如利用之，则其行动影响于帝国者，甚为重大，须注意之而勿误于对付。防止赤化之要点，在减杀民众赤化之可能性，结局当归着于改革中国为政者之恶政也。

六　对于华北政策成否之重要性

如上所述，在蒋介石及其一党为中国领袖时期，其势力所及之范围，日本纵以公正之态度临之，决不能由其衷心转换于亲日。

故我帝国勿为彼等之虚伪所眩惑，须由自主的立场，速就易于实施日本对华政策之地带始，使之实现日华共存共荣之乐土，逐渐扩张，而后中国以自力趋于转向，或竟不许彼等之存在，此实最为得策者也。

现在之华北实为最容易最迅速，得以实现为乐土，且以此为必要之地域，无待缕述。华北一隅当使之为日本人为中国民众明朗而可安住之和平乡；化为日华制品及其他物质可以安稳相互自由流通存在之市场。日华共存共荣之乐土，果能实现，则对于北方之满洲国，可以促进助成其健全之发展。对于南方中国，则可现实示以日华共存幸福之真谛。庶可因日满华三国（以帝国为中心）提携共助，而为实行确保东亚平和之先驱。华北问题解决之重要性质如此，帝国对外之发展，将依此而卜其成否。

七　结论

神武天皇之诏有曰：“上答乾灵授国之德，下弘皇孙养正之心，然后兼六合而开都，掩八紘而为宇，不亦可乎？”实以天皇之道德正义，为政治之大本，以此道德正义，宣布于世界，内则建设道义国家，外则期世界道德的统一，我建国之大精神，昭然若揭，大和民族之信念，实在于此。回溯我国海外发展之迹，上古以来，几经插足于大陆，然常以失败而退却。自神武皇后征服三韩为始，以及任那日本府之设立，丰太阁之朝鲜战役，青岛战役，西比利亚出兵是也。在过去之事，乃属万不得已。今日满洲之建国，华北之进展，万一再遭失败，不但完全由大陆退却，实关系国家之运命，民族之兴废，故须仔细探究过去失败之原因，勿再蹈前辙。至其详细则从省略，要须以下列诸件，奉为铁则，铭诸胸臆。

一　不论个人国家，必须具有“自反而缩，虽千万人吾往矣”之信念。

二　不论个人国家，苟无自省自责之雅量，则共存共荣为不可能。

三　天地，悠久也，日本国不可不与天地并荣，勿拘目前之利害，求急速之成功。

四　日本之发展，不可如升降机之上升，须经阶梯，脚踏实地，逐步上升（但有时亦可数步一气上升）；但既升之高度，决不可再降，且须发展。

要之，欲贯彻建国之大精神，实行吾人之信念，则以公正之力、忍耐、勇气为必要。

日本松室少将对关东军的秘密情报

一　走私问题

帝国货物之向华走私，为帝国对华之断然手段，其用意在促进华北特殊政治体系之成立而隶属于帝国独力之下，届时政、经、军诸般问题，均可依帝国之意志而实践的解决。

甲　原料与市场

帝国工业之生产量逐渐膨大，近年向世界的市场进出，因而招欧美列国之嫉视，纷纷于本土及领属上高筑起关税壁垒，极力抵制我帝国商品之推销。帝国虽亦求报复主义，对对方之商品图谋抵制，奈此项出入品均为帝国必需原料品，自国从无以自产而代替，于是痛感原料之缺乏与市场之狭小，并痛感原料与市场之获得，非经相当之艰辛奋斗不可。而此地域之获得，又非与帝国若干势力打成一片，连成一气，亦难以确保，故于一九三一年九一八发动满洲事变而占据之，一时帝国市场与原料得稍缓和。然因尚有若干原料问题不能解决于满洲；有于满洲解决可能性之原料问题，短期不能满意，尚须相当之岁月之经营与培养；现在满洲市场已臻饱和，短期间亦难再行扩大，即不能与帝国生产率之增进相调和。帝国为确保满洲并使万全，不能不努力满洲边界地外区之缓冲设施。

帝国人口密度与生殖率之高大，非扩大工业即不能解决，扩大工业必须确保相当范围之原料与市场。是以对于新原料与市场之觅求，乃帝国荣瘁攸关之重大事业。依帝国大陆政策之满蒙主义，占据满洲之后，必再继续图蒙，因蒙古在军事上为极重要之地区，势在必得，帝国已不断的努力矣。惟蒙古为一片原野，其资源尚须长期之调查与开发，实属缓不济急。市场因蒙人生活落后，短期间之希望，亦微乎其微。加之日本对蒙工作人才，现在初在训练，而原野生活又不适于日本普通人之活动，他方则苏俄之注力监视，亦增帝国慎重之戒心。

故除以种种掩护手段用实力威胁操纵王公等方式外，不愿作任何刺激敌国神经之占领。然则帝国原料与市场问题解决，实不能不注视“易”于进攻的中国华北。今试考华北原料与市场如下：

消费市场主体人口——冀鲁晋察绥陕豫（半数）约计一亿，为满洲三倍，消费能力当然在三倍以上，商品之输入则多由天津、青岛。

生产原料——华北与全华原料中心地，物产为丰富之煤、铁、小麦、棉花、石油。就调查统计，煤次于美国，占全世界第二位。山西一省之埋藏量即占半数，当抚顺之百廿倍。铁——约埋藏二亿吨。小麦——晋、鲁、冀、察四省合计年产一亿一千万担。棉花——约产三百三十万担。大豆——五千万担。

将来在我帝国有计划之指导与经营，则原料产量当能增加三倍，民众之消费能力亦自能大为增强，故华北诚我帝国之最好新殖民地也。

乙　政治问题

根据帝国前次发动民意的自决自治运动之失败，与冀东独立之收获，帝国惟有抚情顺势，积极采用走私办法，作有力逼切之“威胁”，其功用可输入帝国大批商品，救济生产过剩之恐慌；侵袭英美列国之市场而代替之；促成全华北物价之下落，既可抵制欧美列国货品，又可博得民众之欢心，增进其消费力与购买力；培养为帝国先锋之浪人深入华北内地作特殊之活动！吸收各地亲日分子，因为帝国消灭华北实力派之羽翼，鞭策华北，使其官民对帝国怀普遍的恐惧心；并以走私贿诱手段作当地官吏性格之试金石，现在中国之所谓缉私，乃为一人撒米万人拾之拙法，可怜亦复可笑。假如彼即发动断然之处置，帝国亦惟有听其自然耳。因如强行庇护，徒致增强全华北民众之反抗情绪耳。然观今日情势，彼辈基于普遍的畏我心理，卒不敢稍行阻碍，我仍宜继用威吓政策，以便其永久就范也。故此次增兵，于军事之意义外，当有不战而胜之威胁力量也。因可预测华北政权之独立乃形式上之问题，帝国如能达到目的，亦不必大予以难堪也。同时华北之运输出入，只需稍用威胁，即可得特予最惠之待遇，对于促进帝国今后之出入运输，实有莫大之策动也。

丙　对关税之收入

因走私愈多，中国之关税愈受损失，故可用此走私政策，强迫中国对我订最惠之关税待遇，睹中国当局现在已有就范之可能。

二　中国官民

实力派之聪明——帝国可以欣愉者，乃中国官吏普遍的慑于恐日病而不敢稍行违抗帝国也。现在全华北约十分之七，不能精诚团结联合应付，大都采自保主义维护自身之存在；在不违反帝国之原则下，苟延图存，此等个个独立的小势力，其所关切者只此小集团之目前利益耳，当然难抗帝国之攻击，故彼等自私的心理，实予帝国以非常的便利，竟可不战而胜，一言而获。倘遇当年之张作霖氏之说打就打，不管任何外交和国际，马占山氏明知势力悬殊而竟硬干与强干，则我帝国为免“相当损失”，亦非慎重行事不可，而不能威迫太甚也。即观今日宋氏部下，是否有倾向帝国政策，更宜慎重而迂回，须知中国军旅，正式作战，反多失败，然变兵为散匪，竟成皇军劲敌，此诚不可不注意也。

中国实力派大部采个人或小集团的繁荣主义，缺乏为国为民的观念，因此形成独霸一方独裁私兵状况，国家之存亡，民众之疾苦，彼等众不负任何责任。彼等政治欲物质欲非常旺盛，故彼等除维持现状以解决其欲望外，殊不愿粉碎其势力也。真能爱国为民者为数极少，大都为顾己而不顾人之辈，其实力维持现状，镇压反动，尚感不足，遑论抗日？彼等因欲望极高，故志气多趋于薄弱，而不堪利诱与威胁。吾等由福州事件之已成效果，及此后全华各地当局之一再退让之事实，则可证明。故此后帝国对华工作，应以击破大的对象，维护小的对象，以分散其实力之集中，增加其彼此之疑忌。

一般官民——中国人之特性，爱国不过五分钟，甚且有不知国家为何物者。大部官民率多利令智昏，顾家忘国，甚至甘心祸国，其目的只求一身一官集团之欲望解决，他若国事民生，则一概不顾。虽一小部分尚能顾全大体，图谋向上，均属于被压迫的下层，无米难炊，以致英雄无用武之地，此后帝国应采任用权贵分子，而镇压有气节的忠干分子。

以华北民众论，其意志均属奸猾而薄弱，易于利诱与威胁，民众间缺乏团体组织与训练，完全为散沙状态，惟小部分反满抗日实力，仍是再接再厉的与我搏斗，虽迭经宣抚讨伐军事政治工作，仍为帝国心腹隐患。

华北之现在抗日分子及学生，虽有相当组织与坚决的意志，然大部为客籍分子，殊难深入华北之当地民间，一旦华北变起，势必大部瓦解，不足为患。但彼等深刻的怀抱反满抗日的思想，将来返回乡里，势必组织鼓吹抗日，组织实力，训练民众，亦殊为帝国之大敌。因此帝国为免激发其反感，对于彼等行动，应采督促华北政权自行取缔主义，尽量避免直接干涉。

三　浪人活动

帝国之威武皇军之威力，已深印入中国官民之脑海中，故我帝国军民之在华北活动者，殊少遭到辱害之情形。大部浪人之不法活动，中国官民殊少干涉，更少向帝国官署抗议，因此浪人之活动非常有力，愈益显示中国官府之苟安与无能，增加民众对官府之怨恨与失望，对帝国之威武皇军反由嫉视而转为畏惧与仰羡，满洲全部，在帝国之统治下，浪人活动已不需要，故全部取缔。华北则不然，浪人活动之自由，较在满为顺利，因此内地浪人与在满浪人大多均趋向华北，其于帝国之功劳，殊难漠视。

正常日人，洞悉中日间之纠纷，顾虑其生命财产，不愿对华进出以冒危险，或进出亦限于都市，不敢作不正常之事业，浪人则不然，无家室之累，有敢干精神，充分的利用汉奸，通力合作，此种浪人，既受帝国之庇护，当然对帝国誓忠，故能遇有所命，虽死不辞。帝国即放纵其行动，中国亦无取缔之勇气。假如浪人活动不正太甚，则帝国以莽民名义监送回国，亦可无碍于帝国威信，以不了了之。中国官吏之恐日，由走私一事，已可证明，素以较有骨气之关税论，虽外人关员亦软化，华员及其他之官吏无论矣。故浪人之活动，由少数军警之掩护，即可任意，不必发动大的力量也。将来如遇中国官府有以实力取缔的决心，则我帝国亦不必过分庇护。

四　共产军与共产党

共产军之主力，现虽返还陕北，然有袭入察绥向满洲联苏抗日之危虞，此帝国不可忽视者也。此种红军，实力雄厚，战斗力伟大，其苦干精神，为近代军队所难能，其思想极能浸彻民心，以中国无大资本阶级，仅有小的农工阶级，即被煽惑，竟由江西老巢绕华南华中华西趋华北，转战数万里，倍历艰辛，物质上感受非常压迫，精神反极度旺盛，此次侵入山西，获得相当之物质，实力又行加强，彼等善能利用时势，抓着华人心理，鼓吹抗日，故其将来实力，不容忽视。

中国大部青年，鉴于国内政治之腐化，军事经济之乏更生希望，政府之无抗日决心，退让无止境之主义，于彻底抗日之共同目标下，抗日图存收复失地号召下，纷纷加入共党，甘为共产军之前锋，潜伏于华北，积极活动，并与在满红军，取得联络，将来之扩大充实，亦为帝国之大敌。帝国工商发达，早成劳资对立状态，一旦原料不足或市场狭小，发生缩减生活或生产过剩，定有失业之恐慌，极易受共党之煽惑，此为小农阶级兵工分子之向上，满鲜民族之穷困，均为共党可乘之机会。

以共产军之实质言，实为皇军之大敌。世界各国军旅，无不需要大批薪饷，大批物质之分配与补充，换言之，无钱则有动摇之虞，无物质更有不堪设想之危，共产军则不然，彼等能以简单的生活，窳败的武器，不充足之弹药，用共产政策，游击战术，穷乏手段，适切的宣传，机敏的组织，思想的训练，获得被压迫者的同情，实施大团结共干硬干的精神，再接再厉的努力，较在满的红军尤为精锐。此等军队，适应穷乏地方及时零时整之耐久游击，耐久战术行军，则其适于将来不能连战速决物质缺乏之大战，极为显著，故皇军利于守而不利于攻，应严防其思想之宣传，及不时游击与出没无定扰攘后方之行军。

五　找口实

帝国如欲对华发动口实，随意可得，故视在中国之官民，诚惶诚恐对日不敢犯主义，殊极可笑。由此益可窥知帝国之威力，帝国安可不乘势进攻，夺取特殊之权益？目下先锋的人才问题，已借专家技术者名义，加入华北政权下之政军经交各部门，此后更进一层的知己知彼，其于帝国立策之贡献，当必有非常的效果。

六　对华工作

帝国对华工作，此后应采取华人治华主义。其方式一为满洲国绝不用军力占据，自找烦恼，因此惟有利用土著实力派，造成若干自治独立之政权。第一阶段，必须确保华北及西北，其意：（一）华北各地民众，无组织多奸猾性，抗日力量较少，且为帝国解决原料与市场之地区，蒋介石对华北向持放任态度，事实等于放弃，帝国根据大陆政策，当不以此为满足。（二）西北（指绥蒙言）多为原野，蒙古官民易受皇军之怀柔与统治。（三）华北西北据满洲国之外围，可作相当之缓冲，在军事上有重要之意义：1. 使中国一波未平，一波又起之对日观念，纷纷映演，则收复失地之企望，逐渐消沉。2. 断绝中苏之联络，切断共同抗日之战线。3. 断绝非常时任何实力之侵向东北。4. 华北西北确保后，则华东华中华南逐步完全威胁而服之，逐渐使中国政府消灭，而各个独立小政权，则均受制于帝国。

故帝国对华工作颇有极大之希冀，纯采用不战而胜之方式。倘如中国官民毅然抗日，帝国如顾虑大敌苏俄背后之威胁，皇军发动之国际刺激，战端开后之各地动荡，中国遍地兵匪，成事虽不足，败乱则有余之扰攘，则帝国在华官民军旅生命财产之相当损害，一切破坏后建设之难与期望。共产军中国军在满红军联合抗日，满华官民反我情绪之激昂，帝国之胜利，殊有大量之危险。须知“九一八”迄今之帝国对华，历次作战及对中国军之作战，中国军因依赖国联而行无抵抗主义者，故皇军得以顺调胜利。及后华军昧于知己知彼之认识，受帝国皇军威胁，而竟疑神疑鬼，转成普遍的恐日病，帝国相煎愈烈，中国之惶惑亦愈甚，则一般当局的恐日病益趋加重。倘彼时中国的官民能一致合心而抵抗，则帝国之在满势力，行将陷于重围，一切原料能否供给帝国，一切市场能否消费日货，所有交通要塞，资源工厂，能否由帝国保持偌大地区，偌大人口能否为帝国所统制，均无切实之把握。同时反满抗日力量之集结，实行大规模之游击扰乱，则皇军势必苦于应付矣。时至今日，环境有所改变，但全华各地潜在抗日之实力，在在皆是，故我帝国今后对华工作之方法，决宜随时促进下列数点实现：

（一）以威力胁迫并镇压各实力派，以期收不战而胜之效。

（二）慎勿以实力粉碎各实力派之力量，以免遭不必要之损失。

（三）严苛监视并排击中国各实力派之精诚团结、自立更生，由觉悟而联合抗日。

（四）严防中国当局之联苏、英、美而进行抗日。

（五）务宜阻防冯系实力（指宋韩言）与阎张陕北红军之总联合而抗日。

（六）吸引恐日病最深之实力分子，与以实力之援助，使之镇压抗日分子。

广田对华“三原则”

一九三五年下半年至一九三六年初日本外相广田高唱对满“三原则”，即：第一，取缔中国的抗日运动；第二，树立中、日、“满”的合作制度；第三，中、日、“满”实行共同防共。一月二十一日广田在日本议会演说日本外交方针，对“三原则”更有露骨的说明。一眼可以看出，所谓“三原则”也者，乃是征服中国的毒辣政策。兹将这次广田的演说的原词照录于下：

对华政策　其第一为根本调整中日两国关系，即中国勿论在任何形态，亦不采取以前之非友好的行为及政策，此非仅应舍其消极的此种行为及政策，且更进而以举亲善提携之实，积极的加以协力，中日两国互相对立之事，非独为双方不利，即就东亚大局观之，亦诚属不能忍受之者，如中国对于日本出以非友谊行动，或故意利用第三国而行其常套手段，以为逆行东亚安定之事，则此诚属遗憾而不能忍受者也，然中国如在此点能充分觉醒，则日本对于中国发展，有意为有形无形之支援者，自不待言，日本以从来如上之大局见地，隐忍自重，以促中国之自省，诱发其对于东亚责任之自觉，以俟其对日转向也，然华方亦渐次看透此大局，约一年前即表示中日关系改善之意思。

调整工作　日本政府在昔日第六十七议会时，即阐明对于邻邦立不威胁不侵略之根本政策，更利用此机，恢复两国国交于常轨，努力进行于两国利害之调整，关于此点，不幸迄今仍无充分之成果。查中日两国关系，为完全恢复其常轨，当然须将中国与“满洲国”之关系，亦有就于常轨之必要，就中、日、“满”三国各种利害在直接接触之华北方面，尤特别感其必要，然而中国尚未承认其接壤华北之“满洲国”，加以各方久已基因于地方的特殊传统，在华北虽有一时相当之不安空气，然至最近依河北察哈尔设立冀察政务委员会，形势遂大为缓和。前述种种，非仅应为中日关系之调节，如中、日、“满”三国关系不能同时调节，则终难求其安定，为达成此目的者，实为我决定方针之第二点也。

中国问题 即中、日、“满”三国关系，为完全调节起见，首先应使中国承认“满洲国”之存在，从此树立国交，进而调和双方利害关系，否则不能根本解决，因此希望其能一日从速到来其时期。然而在此期间，华北方面对中日“满”三国关系应采取无使其何等恶化之手段方法，实为必要之趣旨。中国今日遭遇最大之困难者，为共产党之运动，而东亚之不安定，实为赤化运动正乘之点，如中国边境地域固不待言，即内部社会组织，亦甚感其威胁。中国之赤化分子跋扈，当在想象以上，查赤化运动之危险，非限于东亚，不过东亚天地，今日特见其活跃耳，故吾人在兹，为东亚世界之安定，应阻止此东亚之赤化运动，使中国免去此种危险一事，非仅为中国，此乃应为各国共同之最大事也，此乃为此次决定方针之第三点，即日本为防止赤化，愿与中国缔结种种协定之主旨也。以上三点，为日本政府之确定方针。……

剖析中日关系的要籍

中日问题讲话	章乃器著	再版三角
日本的透视	欧脱莱著	再版六角
当日本作战的时候	塔宁著	再版八角半
今日的日本	冷璧著	再版一角五分
日本的大陆政策	柳乃夫著	再版二角
日本大陆政策的真面目	国难社编	再版二角
中日经济提携	骆耕漠著	再版一角半
走私（弹词）	老童生著	再版三分
中日关系简史	张健甫著	再版二角
近六十年来的中日关系	张健甫著	再版四角
中国怎样降到半殖民地	线亦石著	再版四角
中国国防经济建设	钱俊瑞著	再版二角
西园寺公望传	郑学稼著	三角五分

长城察北的抗战	辛质著	一角五分
日本的财阀军部与政党	思慕著	一角五分
日本财阀史论	郑学稼著	一元七角

三联经典文库第二辑简目

《游击战教程》　明凡 / 著

《游击战术纲要》　陶剑青 / 编著

《汪精卫卖国的理论与实践》　钱俊瑞 / 著

《抗战以来》　韬奋 / 著

《陕行纪实》　楚云 / 著

《随军散记》　沙汀 / 著

《被日寇囚系半载记》　王研石 / 著

《倭营历险记》　房沧浪等 / 著

《活跃的新西北》　田影 / 编著

《保卫华北的游击战》　刘清扬　陈北鸥等 / 著

《徐州突围》　《徐州突围》编委会 / 编

《沦亡的平津》　长江　小方等 / 著

《淞沪火线上》　胡兰畦等 / 著

《瞻回东战场》　长江　罗平等 / 著

《东线的撤退》　胡兰畦等 / 著

《抗战中的西北》　徐盈 / 著

《鲁闽风云》　徐盈等 / 著

《西线生活》　西北战地服务团集体创作

《中国解放区见闻》　［美］福尔曼著 / 朱进译

《全面抗战论》　潘汉年 / 著

《日本的间谍》　范士白自述 / 尊闻译

《日本大陆政策的真面目》　国难资料编辑社 / 编

《民众动员论》　李公朴 / 著

《中国外交史》　钱亦石 / 编著

《太平洋军事地理》　蒋震华 / 著

《世界经济地理讲话》　思慕 / 著

《列强军力论》　［德］马克斯·威纳尔著 / 宾符　仲持　梅益等译

《近代国际关系史》　张铁生 / 著

《太平洋现势手册》　沈志远　石啸冲 / 编著

《近代世界政治史》　钱亦石 / 著

《从战争到和平——一九四五年的世界政治》　乔木 / 著

《战后日本问题》　思慕 / 著

《最近一年间的国际动态（1946.7–1947.6)》　《东北日报》社 / 编

《论政党》　翟放 / 著

《法与宪法》　韩幽桐 / 编著

《中华民国宪法刍议》　罗家衡 / 著

《民主·宪法·人权——作之民》　费孝通 / 著

《宪法论初步》　潘念之 / 著

《对反民主的抗争》　韬奋 / 著

《农村改进的理论与实际》　江恒源 / 著

《上海产业与上海职工》（上下）　　朱邦兴　胡林阁　徐声 / 合编

《陶行知教育论文选辑》　　陶行知著 / 方与严编

《中国通货膨胀论》　　杨培新 / 著

《中国及其未完成的革命》　　H·普拉特著 / 蒋天佐译

《中国的建设问题与人的训练》　　卢作孚 / 著

《论中国特殊性及其他》　　艾思奇 / 著

《中国经济问题讲话》　　钱俊瑞　徐雪寒　王渔邨　姜君辰　骆耕漠 / 合著

《中国经济的道路》　　许涤新 / 著

《中国财政之病态及其批判》　　孙怀仁 / 著

《官僚资本论》　　许涤新 / 著

《五四运动之史的评价》　　陈端志 / 著

《中国通史简编》（上下）　　中国历史研究会　范文澜 / 主编

《论文学的工农兵方向——读〈在延安文艺座谈会上的讲话〉》　雪苇 / 著

《中国近代史（上编　第一分册）》　　武波 / 编著

《文学百题》　　傅东华 / 编

《中国史学之进化》　　周谷城 / 著

《论民族形式问题》　　胡风 / 著

《论批评》　　荃麟等 / 著

《中国史纲》（第一卷上下、第二卷上下）　　翦伯赞 / 著

《近代中国思想学说史》（1–4）　　侯外庐 / 著

《中国政治思想史》（上下）　吕振羽 / 著

《中国哲学史纲要》　向林冰 / 著

《中国政治史讲话》　钱亦石 / 著

《中国社会经济史纲》　王渔邨 / 著

《新财政学大纲》　千家驹 / 著

《太平天国革命运动论文集——金田起义百周年纪念》

华北大学历史研究室 / 编

《理性与自由——文化思想批评论文集》　胡绳 / 著

《战斗者的诗人》　黄药眠 / 著

《国语文法》　曹朴 / 著

《教育哲学》　张栗原 / 著

《妇女问题讲话》　杜君慧 / 著

《婚姻 · 子女 · 继承》　沙千里 / 著

《性教育新论》　布士克　雅各生合著 / 董秋斯译

《狱中杂感》　杜重远 / 著

《七人之狱》　沙千里 / 著

《爱迪生传》　伍况甫 / 译

《歌德自传》（上下）　歌德著 / 思慕译

《尼赫鲁自传》　［印度］尼赫鲁著 / 毕来译

《列宁传》　［苏］凯尔任采夫著 / 企程　朔望译

《罗斯福总统传》　C. Mackenzie 著 / 张尚之译

《托尔斯泰传》（1–3）　［英］阿尔麦 · 莫德著 / 徐迟译

《革命文豪高尔基》 ［美］亚历山大 · 康恩著 / 韬奋编译

《鲁迅纪念特辑》 新中国文艺社 / 编

《回忆鲁迅先生》 萧红 / 著

《人民文豪鲁迅》 平心 / 著

《亡友鲁迅印象记》 许寿裳 / 著

《鲁迅思想研究》 何干之 / 著

《鲁迅研究》 夏征农 / 编

《过来的时代：鲁迅论及其他》 雪峰 / 著

《电影戏剧表演术》 洪深 / 著

《日常心理漫谈》 ［美］约瑟夫 · 查斯特罗著 / 曾宝施译

《心理常识漫话》 朱智贤 杨云美 / 著

《读书的方法与经验》 王任叔 / 著

《美国黑人生活纪实》 ［美］加德维尔 斯坦倍克著 / 董秋斯译

《初访美国》 费孝通 / 著

《事业与成功》 ［美］马尔腾著 / 汪原放译

《萍踪寄语（初集）》 韬奋 / 著

《一生的幸福前途——〈生活周刊〉信箱选集》 生活书店 / 编选

《深刻的印象》 生活周刊社 / 编

《海外的感受》 生活书店编译所 / 编

ISBN 978-7-108-04759-5
定价：17.00元